12-33

Poésie du Monde noir

RENAISSANCE NÉGRO - AMÉRICAINE
HAITI - ANTILLES
AFRIQUE
MADAGASCAR

SHENANDOAH COLLEGE
LIBRARY
WINCHESTER, VA.

MAGUY CUINGNET

HATIER

Illustrations de M. GABRIEL COULIBŒUF,
peintre-graveur, expert en moyens audio-visuels en Afrique.

PN
6109.7
.P6
1973
446 C896p
Poésie du Monde noir

© HATIER, Paris 1973

Toute représentation, traduction adaptation ou reproduction, même partielle, par tous procédés, en tous pays, faite sans autorisation préalable est illicite et exposerait le contrevenant à des poursuites judiciaires. Réf. : *loi du 11 mars 1957*.

ISBN 2 - 218 - **01978 - 7**

Avertissement

Conçu et réalisé pour l'enseignement de la Poésie négro-africaine dans les classes de l'Enseignement Secondaire et des Écoles Normales, enrichi d'un appareil pédagogique de notes et questions qui facilitera l'approche des textes, ce livre ne prétend être ni exhaustif, ni original. Il doit beaucoup en particulier aux différentes anthologies et ouvrages cités en référence.

Sa seule ambition est de constituer un outil simple et maniable entre les mains des professeurs et des élèves qui découvrent presque en même temps la littérature noire : celle de l'Afrique et quelques-unes de celles de la diaspora noire qui, à travers les vicissitudes historiques, n'a pas oublié son lien à l'Afrique mère.

L'ÉDITEUR

Poètes de la Renaissance Nègre aux États-Unis

... « Langston Hughes et Claude Mackay : les deux poètes révolutionnaires nous ont apporté... l'amour africain de la vie, la joie africaine de l'amour, le rêve africain de la mort. » Ainsi parlaient l'Antillais Étienne Léro et ses amis du groupe de *Légitime Défense*.

Les poètes de la Négritude : Césaire, Damas, Senghor, ont dit leur dette envers les poètes noirs américains, aussi nous a-t-il paru légitime de commencer par eux ce recueil de poèmes destiné à illustrer pour nos grands élèves la poésie du monde noir : poésie de constat et de complainte, de vigoureuse révolte, de souvenir, d'amitié, d'espoir.

CLAUDE MACKAY

(1860-1948)

Né à la Jamaïque d'une famille paysanne, Mackay est un des plus remarquables militants de la Négro-Renaissance. Il a choisi résolument un langage, un style simples et populaires, se moquant des noirs évolués qui singeaient la bourgeoisie blanche américaine.

Ses deux premiers recueils de poèmes publiés à la Jamaïque le font remarquer et lui valent une bourse d'études aux États-Unis. Mais, poussé par une insatiable curiosité, il fera l'expérience de toutes sortes de métiers, parcourra l'Amérique et l'Europe, subissant un moment l'attrait du communisme, puis se convertissant au catholicisme.

De ces multiples expériences naissent poèmes et romans, tel le célèbre Banjo *(1928), roman d'un docker noir à Marseille.*

Il est le véritable fondateur du roman réaliste négro-américain.

Au-delà des écrivains noirs américains, son influence s'est étendue aux poètes de la négritude (Senghor, Damas) qui l'ont fréquenté à Paris, et à des romanciers tels qu'Ousmane Socé, Joseph Zobel, Ousmane Sembène.

⟶

Le texte

1. Le poète est-il heureux de retrouver Harlem après une longue absence ? Cherchez dans le texte des mots et expressions qui le prouvent.
2. Quelles sont, aux yeux de l'auteur, les qualités particulières de cette rue de Harlem ? (odeurs, couleurs, douceur, intensité de la vie, des perceptions...)
3. Et cependant la vie à Harlem est-elle sans problème, le poète n'avait-il pas des appréhensions d'y retourner ? Qu'est-ce qui vous le prouve dans le texte ?
4. La douleur peut-elle, dans certains cas, être un moyen d'atteindre au bonheur ? Qu'en pense le poète ? Et vous-même ? Cherchez-en des exemples.

Note d'Harlem

Riche est la senteur de cette rue de Harlem
Tendre est le crépuscule qui tombe sur la scène encore chaude et sombre
Doux est le murmure des *voix juteuses*
Et avec plaisir je m'abandonne au *tumulte*

Une singulière confusion emplit ma poitrine,
Heureux sont mes pieds sur cette terre familière
De trouver un peu de repos après de longues années.
Ma tête qui bourdonne de joie tourne et tourne.

Comme les voiles enfin levés d'un *sanctuaire*,
Les brumes découvrent les spectacles chéris dont je me souvenais
Et je retrouve à leur place
Les *repères* aimés des jours et des nuits de Harlem.

La vie et les couleurs sont infiniment plus variées ;
Mes sens aiguisés apprécient plus vite
Les nouveaux repères érigés au milieu des anciens,
Les différents signes et sons qui dominent.

Oh ! j'étais peu disposé en revenant,
Je me sentais comme rejeté du Paradis en Enfer,
Dans cette *arène* grouillant de blancs et de noirs :
Ce spectacle qui déchire le cœur de l'Amérique.

Cependant, malgré la crainte de cet étrange retour,
Effrayé de ne plus pouvoir saisir
Ces accents après lesquels j'avais si souvent soupiré
Et que je *ressassais* avec ivresse dans mon exil,

En revenant j'ai découvert le bonheur
- Quoique mêlé au souvenir de la douloureuse séparation -
Et cependant était bonne la douleur qui m'apprit ceci :
La joie de retrouver une voix pour chanter à nouveau !

Poème inédit, trad. par Mme La Cognata et M. Sidibé.
Cité par J. WAGNER, *Les Poètes nègres des États-Unis,* Istra, 1963.

Les mots

voix juteuses : voix agréables comme l'est un fruit bien mûr et juteux.
tumulte : grand bruit.
sanctuaire : édifice consacré aux cérémonies religieuses; par exemple, une mosquée, une église sont des sanctuaires.
repères : marques faites pour indiquer où retrouver son chemin, pour se reconnaître dans un lieu inconnu ou pour effectuer une mesure, un alignement... Un point de repère est une marque, un signe qui permet de se retrouver.
arène : piste sablée d'un cirque où ont lieu les combats d'un homme contre un animal; par exemple, dans l'Antiquité romaine, les combats des *gladiateurs* (combattants armés d'un glaive) contre les lions ou, de nos jours, en Espagne, le combat du toréador contre un taureau, ont lieu dans l'arène. Aux yeux du poète, le quartier de Harlem à New York, où s'affrontent blancs et noirs, ressemble à une arène et l'Amérique assiste, le cœur déchiré, à ce spectacle cruel.
ressasser : répéter sans cesse.

JAMES WELDON JOHNSON

(1871-1938)

Né en Floride d'un père noir libre et d'une mère métisse, J. W. Johnson put atteindre des situations : juriste, diplomate, professeur d'Université, qui lui valurent d'être appelé par Claude Mackay : « l'aristocrate des nègres américains ».

Par ses poèmes, tel God's Trombones, *directement inspirés du lyrisme des spirituals et des sermons des pasteurs noirs, mais surtout par la publication de la première anthologie de poésie noire :* The book of American Negro Poetry, *J. W. Johnson est, avec ses prédécesseurs qu'il admirait : Paul Laurence Dunbar et W. E. B. Du Bois, l'un des grands artisans de la Renaissance nègre.*

Le texte

⟶

1. Faut-il nécessairement être instruit pour composer des poèmes, des chants?
2. La foi, l'enthousiasme ou « feu sacré » sont-ils par contre indispensables? Cherchez dans le texte les mots et expressions qui le prouvent.
3. Pourquoi le poète célèbre-t-il ces bardes ignorants et inconnus? Quel a été leur rôle historique parmi les esclaves noirs déportés?

O bardes noirs et inconnus !

O *bardes* noirs inconnus du temps jadis,
Comment vos lèvres ont-elles pu toucher le feu sacré ?
Comment, dans vos ténèbres, vous furent donc révélées
De la *lyre* du *ménestrel* la puissance et la beauté ?
Qui le premier leva les yeux plus haut que ses chaînes ?
Qui le premier, durant sa longue et solitaire veille,
Sentant monter dans la nuit de son âme l'antique foi
Des prophètes, se mit à chanter ?

....

Jamais *ce grand maître allemand*, qui rêva
Des harmonies dont frémirent les étoiles
Le jour de la création, n'entendit thème
Plus noble que « *Descends, Moïse !* ». Écoutez-en les mesures :
Tel un puissant appel de la trompette, elles remuent
Le cœur. Voilà ce que chantaient les hommes
Partant vers de valeureux destins ; voilà les accents
Qui changèrent le cours de l'histoire à *l'orée du Temps.*

Ah ! combien merveilleux n'est-il pas
Que de leur repos avili, de leur servile labeur,
L'esprit enflammé du prophète ait tiré
Ces simples enfants du soleil et de la terre !
O chanteurs noirs esclaves, passés, oubliés et obscurs,
Vous seuls, de toute la longue lignée
De ceux qui chantèrent, ignorants, inconnus et sans nom,
Êtes montés plus haut, à la recherche du divin.

Fifty years and other poems, Boston, 1917.
Cité par J. WAGNER, *Les Poètes nègres des États-Unis,* Istra, 1963.

Les mots

bardes : dans les pays celtiques, le barde était l'équivalent du griot, celui qui chantait les hauts faits des héros.
lyre : instrument de musique à cordes, utilisé dans l'Antiquité, en particulier pour accompagner les poèmes.
De là sont venus les mots et expressions : poésie lyrique, lyrisme, qui indiquent que des sentiments personnels sont exprimés de manière harmonieuse.
ménestrel : poète musicien qui chantait ses vers dans les châteaux d'Europe au Moyen Age. Mots synonymes : *troubadour, trouvère.*
ce grand maître allemand : allusion au musicien autrichien du XVIIIe siècle : Joseph Haydn et à son œuvre célèbre : *La Création du monde.*
descends, Moïse : titre d'un célèbre négro-spiritual (cantique religieux) composé par des esclaves américains.
On comprend que le thème du prophète Moïse sauvant son peuple de l'esclavage en Égypte soit un des thèmes bibliques préférés des auteurs de négro-spirituals en raison de sa valeur symbolique.
l'orée : marque le bord, la lisière d'un bois, d'un champ, d'un village. Par orée du Temps, le poète désigne ici le début du temps.

A l'Amérique

Que l'on n'aille surtout jamais s'imaginer
Que nous sommes ici par pure tolérance,
Comme des *parias*, parqués sous ces cieux,
Et des étrangers sans titre ni part.

Ce pays est à nous de par notre naissance,
Ce pays est à nous de par notre travail ;
Nous avons aidé à travailler sa terre vierge,
Notre sueur est dans son sol fertile.

Comment nous veux-tu, tels que nous sommes ?
Ou écrasés sous le fardeau que nous portons ?
Muscles puissants et empressés dans tes ailes ?
Ou chaînes enserrant tes pieds captifs ?

....

Voyez ! Au milieu de vous demeurent
Dix millions de Noirs, un *coin*
Forgé dans la fournaise de l'enfer,
Aiguisé par les torts et l'injustice cruelle
Et enfoncé par le marteau de la haine.

Un coin si mince à l'origine :
Vingt esclaves aux fers seulement !
Et qui pourtant fit éclater le pays
Au milieu des cris de guerre et du bruit des batailles,
Transperça le cœur même de la nation
Et envenime encore sa blessure.

Fifty years and other poems, Boston, 1917.
Cité par J. WAGNER, *Les Poètes nègres des États-Unis,* Istra, 1963.

Les mots

parias : personnes méprisées, rejetées par la société.

coin : instrument en fer, ayant la forme d'un prisme triangulaire, pour fendre du bois.

Le texte

1. Combien de parties distinguez-vous dans ce poème?
2. Qui est désigné par le pronom **nous** dans les expressions : *Que* **nous** *sommes, ce pays est à* **nous, nous** *avons aidé,* etc.?
3. Les descendants des esclaves noirs se sentent-ils des droits en Amérique? Lesquels?
4. Les questions posées à l'Amérique par les noirs dans le 3e verset peuvent-elles éclairer les troubles raciaux qui se produisent périodiquement aux États-Unis?
5. Quelle est l'image développée dans la deuxième partie du poème? Montrez en quoi elle est bien choisie.

COUNTEE CULLEN

(1903-1946)

Un certain mystère plane sur l'enfance et l'adolescence de Countee Cullen, orphelin, élevé par un pasteur méthodiste noir dans une atmosphère puritaine. De là peut-être vient ce ton très personnel qui en fait le plus nostalgique, mais aussi le plus angoissé et le plus mystique des poètes de la Négro-Renaissance aux États-Unis.

Son poème Héritage *traduit ce mélange d'inquiétude et d'attirance qu'éprouve le noir américain lorsqu'il se demande : « Qu'est-ce que l'Afrique pour moi? moi que trois siècles séparent des lieux que chérirent mes pères? »*

La souffrance conduit Cullen à la prière, alors qu'elle provoque la révolte chez Mackay, l'amertume, l'indignation, l'ironie cinglante chez Langston Hughes et Sterling Brown.

Prière païenne (1)

Ce n'est pas pour moi que je fais cette prière,
Mais pour ceux de ma race,
Qui, du fond des ténèbres,
Leurs mains noires tendues,
Réclament leur *pain et* leur *vin.*

....

Pour moi, mon cœur païen s'enivre,
Je n'ai jamais les pieds en repos,
Mais à eux, donne des foyers pour les réchauffer
Dans des demeures en haut d'une colline.

Pour moi, ma foi est *en jachère,*
Je ne m'incline que lorsque je vois,
Mais eux sont humbles, et ils croient,
Bénis leur crédulité.

Pour moi, je paie mes dettes en nature,
Et je ne vois point de meilleure façon,
Mais bénis ceux qui tendent aussi l'autre joue
Par amour pour toi, et qui prient.

Les mots

pain et vin : dans la religion catholique, au cours de la messe, le prêtre reproduit les gestes de Jésus-Christ donnant en nourriture aux hommes sous forme de pain et de vin son corps et son sang qu'il allait offrir pour eux en mourant sur la croix.

en jachère : terrain inculte, laissé en friche ; se dit d'un champ ou d'un esprit non cultivé.

Le texte

1. Pour qui le poète prie-t-il ?
2. Le poète partage-t-il la foi des chrétiens ? Étayez votre réponse par des mots ou expressions tirés du texte.
3. Que signifie ici : *payer ses dettes en nature?* Le poète applique-t-il pour sa part le conseil de l'Évangile : « Si ton ennemi te frappe sur la joue droite, tends-lui l'autre joue », c'est-à-dire laisser à Dieu le soin de faire justice ?

Prière païenne (2)

....

Notre Père, Dieu ; notre Frère, Christ,
Ainsi nous enseigne-t-on à prier ;
Mais cette parenté semble bien peu de chose
A ceux qui pleurent tout le jour.

Notre Père, Dieu ; notre Frère, Christ,
Sommes-nous donc des *enfants bâtards*
Pour qu'à nos plaintes tes oreilles soient sourdes
Et tes portes verrouillées du dedans ?

Notre Père, Dieu ; notre Frère, Christ,
Relève à nouveau ma race !
Alors tu retrouveras la brebis noire que je suis
Et mon cœur païen. Amen.

Héritage (Extraits), Color-Harper, 1925.
Cité par J. WAGNER, *Les Poètes nègres des États-Unis,* Istra, 1963.
Extrait de : *On this I stand,*
© 1925, Harper and Row Publishers, Inc.

Les mots

enfants bâtards : illégitimes, nés hors mariage, appelés aussi : enfants naturels.

Le texte

1. La situation des noirs en Amérique leur permet-elle de croire à cette religion d'amour, de se croire fils de Dieu et frères du Christ, à l'égal des blancs qui la leur ont prêchée ? Pourquoi ?
2. L'incrédulité du poète est-elle définitive, irrémédiable ?

Qu'est-ce que l'Afrique pour moi ?

Qu'est-ce que l'Afrique pour moi :
Soleil de cuivre ou mer écarlate,
Étoile de la jungle ou piste de la jungle,
Hommes bronzés et forts, ou femmes noires de sang royal
Dont le ventre me porta
Quand chantaient les oiseaux de Paradis ?
Moi que trois siècles séparent
Des lieux qu'aimèrent mes pères,
Forêt d'épices, arbre à cannelle,
Qu'est-ce que l'Afrique pour moi ?

....

Me voici donc, moi qui ne trouve la paix
Ni la nuit, ni le jour...
Me voici donc, moi qui jamais
Ne dors tranquille quand il pleut.
Je ne puis trouver le repos
Quand la pluie se met à tomber :
Comme une âme folle de douleur,
Malgré moi je réponds à son refrain mystérieux ;
Malgré moi je me tourne et me tords,
Me tortillant comme un ver sur l'hameçon,
Tandis que le rythme primitif de ses gouttes
Traverse mon corps et me crie : « A nu ! »
« Dépouille ta jeune *exubérance*,
Viens danser la Danse de l'Amour ! »
Comme un souvenir d'autrefois,
Nuit et jour, la pluie me travaille.

Héritage (Extraits), Color-Harper, 1925.
Extrait de : *On this I stand,*
© 1925, Harper and Row Publishers, Inc.

Les mots

exubérance : surabondance de vie, vivacité, vitalité.

Le texte

1. Les noirs américains connaissent-ils bien l'Afrique ? Est-ce que le poète arrive à se la représenter d'une façon précise, réaliste ou bien sa vision ressemble-t-elle plutôt à un rêve, à une légende ? Pourquoi ?
2. Et pourtant le noir américain ne garde-t-il pas des empreintes africaines ? Lesquelles ?
3. Que signifie l'expression : *me travaille ?* Employez-la dans quelques phrases. Cette expression appartient-elle au langage populaire ou au style châtié ?

LANGSTON HUGHES

(1902-1967)

C'est le plus connu des poètes noirs américains, celui qui a eu le plus d'influence sur les écrivains noirs durant leur formation en France.

Né de père blanc et de mère noire, L. Hughes eut une enfance pauvre; très jeune, il commença à faire un peu tous les métiers, s'instruisant en grande partie par lui-même au hasard des rencontres et des lectures, dont il était avide.

Au cours d'un séjour à Paris, il devint l'ami de Senghor et de Léon Damas et fut un des premiers écrivains noirs américains à faire le voyage d'Afrique.

« Ses poèmes sont de petits chefs-d'œuvre de simplicité qui disent l'essentiel » et vont droit au cœur.

Très souvent, il compose ses poèmes sur le modèle des blues, *ces chansons mélancoliques inspirées aux noirs américains par leur triste condition et par le rythme de la musique de jazz dont ils furent les inventeurs.*

Note - « Les *blues*, contrairement aux spirituals, sont des poèmes à forme fixe ; à un long vers répété succède un troisième qui rime avec les deux premiers... A la différence des spirituals, les blues ne se chantent pas à plusieurs voix. De plus, alors que les spirituals racontent l'évasion du souci quotidien, le départ pour le ciel et le bonheur éternel, les blues disent les ennuis, la solitude, la faim, le chagrin amoureux ici-bas... Le ton des blues est presque toujours celui de la tristesse mais, quand on les chante, l'auditeur rit. »
(L. Kesteloot.)

Le joueur de trompette

Le Nègre
La trompette aux lèvres,
A de noires *demi-lunes*
Sous ses yeux las,
Où le souvenir encore fumant
Des négriers
Se rallume au claquement du fouet
Dans ses jambes.

....

La musique
De la trompette / à ses lèvres
Est miel
Et coulée de feu.
/ Le rythme
De la trompette à ses lèvres
Est une exaltation,
Suc d'anciens désirs /

/ Désirs
Qui sont envies de lune
Quand la lune n'est qu'un projecteur
Dans ses yeux, /
/ Désirs
Qui sont envies de la mer
Quand la mer n'est qu'un verre à boire :
Miniature pour nigauds. /

Le Nègre
La trompette aux lèvres,
Dans son veston
Aux revers bien coupés,
Ne sait pas
Sur quel motif la musique lui pique
Son *aiguille hypodermique*
Jusqu'au cœur.
/ Mais doucement
Quand de sa gorge sourd la chanson
La douleur
S'apaise en une note d'or. /

Fields of Wonder, New York, 1947.
Cité par J. WAGNER, *Les Poètes nègres des États-Unis*, Istra, 1963.
© 1947 by Langston Hughes.

Les mots

demi-lunes : ce qu'on appelle *des poches,* lorsque la peau des paupières inférieures se distend sous l'effet de la fatigue et du vieillissement.
suc : la sève des plantes, le liquide nourricier des organismes vivants.

aiguille hypodermique : aiguille qui sert à l'injection de drogue par piqûre sous la peau. Ce vice est assez répandu aux États-Unis, notamment dans les milieux d'artistes. La musique agit comme une drogue : elle endort la douleur.

Le texte

1. Relevez dans le texte les traits qui dessinent le portrait de ce joueur de trompette noir.
2. Quel est l'effet de la musique sur lui ? N'est-ce pas l'effet d'un mirage, d'une tromperie, d'un ersatz (produit artificiel destiné à remplacer un produit naturel qui manque) ?
3. Pourquoi le nègre américain a-t-il besoin de cette musique de jazz qu'il a inventée ?

Ma chanson et moi

/ Ma chanson
Née sur les lèvres noires
de l'Afrique /
/ Profonde
Comme la terre généreuse /
/ Belle
Comme la nuit noire /
/ Forte
Comme le premier fer
Noir
Venu d'Afrique /
Ma chanson
Et moi.

Jim Crow's Last Stand, New York, 1943.
Cité par J. WAGNER, *Les Poètes nègres des États-Unis,* Istra, 1963.
© 1943 by Langston Hughes.
© renewed.

Note - Nous avons là le type même de cette poésie moderne sans ponctuation. Ici, elle calque son rythme sur celui même du jazz, syncopé et rapide.
Ce poème doit être dit sans rupture ; les barres verticales que nous avons introduites marquent des unités de sens et de souffle.
Ce texte court et facile ne demande guère de travail d'explication, mais l'effort portera sur une diction nette et bien rythmée.

Le texte

1. Où le poète a-t-il trouvé sa chanson, c'est-à-dire l'inspiration poétique ?
2. Quelles sont les trois qualités de cette chanson ?

Jazz

La vie
Pour lui
Doit être
Le frémissement
D'un grand tambour
Que l'on bat avec d'agiles baguettes,
Puis, à l'heure où l'on ferme,
Les lumières s'éteignent,
Il n'y a plus de musique du tout,
Et la mort devient
Un *cabaret* vide,
L'éternité un *saxophone* où personne ne souffle,
Et hier
Un verre de *gin*
Bu il y a
Longtemps.

Sport, Fine clothes to the Jew, New York, 1927.
Cité par J. WAGNER, *Les Poètes nègres des États-Unis,* Istra, 1963.
© 1927 by Langston Hughes.
© renewed.

Les mots

cabaret : lieu où l'on consomme des boissons. Un cabaret souvent agrémente le soir les consommations par un spectacle artistique.
saxophone : instrument à vent, en cuivre, qui tient une place de choix dans les orchestres de jazz.
gin : alcool de grain d'origine anglaise. Prononcer : [dgin].
Mêmes remarques concernant la diction que pour le poème précédent.

Le texte

1. A quoi doit ressembler la vie selon le musicien de jazz?
2. Par quels moyens (rythme, choix des mots) Langston Hughes parvient-il à traduire, en poésie, le rythme même de la musique de jazz?
3. N'émane-t-il pas de la tristesse de ce poème ainsi que de nombreux morceaux de jazz?
Quels sont les mots et expressions de ce poème qui justifient cette impression?

Nuit de Harlem

Des garçons noirs à la peau luisante dans un cabaret,
Jazz-band, jazz-band,
Joue, joue, joue !
Demain... qui sait ?
Dansez aujourd'hui !
....
Jazz-boys, jazz-boys,
Jouez, jouez, jouez !
Demain... est ténèbres.
Joie aujourd'hui !

« Harlem Night Club », *The Weary Blues*, New York, 1926.
Cité par J. WAGNER, *Les Poètes nègres des États-Unis*, Istra, 1963.
© 1926 by Alfred A. Knopf, Inc.
© renewed.

Les mots

jazz-band : orchestre de jazz, comprenant un groupe d'instruments qui assure la permanence rythmique (piano - batterie...) et des instruments mélodiques, surtout trompette et saxophone. Un jazz-band, des jazz-bands (origine anglo-saxonne).

Remarques concernant la diction : bien respecter le silence et la voix suspendue que désignent les points de suspension, montrant l'incertitude du lendemain pour ces jeunes gens noirs qui n'ont d'autre consolation que la musique et la danse.

Le texte

1. Les garçons noirs de Harlem ont-ils en général un brillant avenir devant eux, ont-ils beaucoup d'espoir?

2. Quelle est leur seule consolation?

3. Montrez par ce poème et les précédents que ce thème est cher à Langston Hughes. Pourquoi?

Poème

Tous les tam-tams de la jungle battent dans mon sang,
Et toutes les lunes sauvages et chaudes des jungles
Brillent dans mon âme.
J'ai peur de cette civilisation
Si dure,
Si forte,
Si froide.

« Poem. For the portrait of an african boy
after the manner of Gauguin ». *The Weary Blues,* New York, 1926.
Cité par J. WAGNER, *Les Poètes nègres des États-Unis,* Istra, 1963.
© 1926 by Alfred A. Knopf, Inc.
© renewed.

Le texte

1. Le poète négro-américain se reconnaît-il un tempérament africain?
2. Se sent-il à l'aise dans la civilisation technique américaine? Comment la juge-t-il?

Notre pays

Il nous faudrait un pays rempli de soleil,
De soleil éclatant,
Et un pays où l'eau sent bon,
Où le crépuscule
Est un léger *madras*
Tout de rose et d'or
Et non pas ce pays où la vie est froide.

Il nous faudrait un pays rempli d'arbres,
De grands arbres épars,
Ployant sous leur faix de perroquets babillards
Éclatants comme le jour,
Et non pas ce pays où les oiseaux sont gris.

Ah ! il nous faudrait un pays plein de joie,
D'amour et de joie, de vin et de chansons,
Et non pas *ce pays où la joie est péché.*

« Our Land », *The Weary Blues,* New York, 1926.
Cité par J. WAGNER, *Les Poètes nègres des États-Unis,* Istra, 1963.
© 1926 by Alfred A. Knopf, Inc.
© renewed.

Les mots

madras : mouchoir de tête aux couleurs vives que les femmes noires ont l'habitude de draper et nouer sur leur tête.

ce pays où la joie est péché : allusion à l'atmosphère austère, puritaine qu'imposèrent les colons protestants de la Nouvelle-Angleterre.

Le texte

1. En quoi ce poème vous paraît-il exprimer la nostalgie de l'Afrique chez les poètes négro-américains?

2. Pourquoi?

Monde d'acier

Les usines
Qui *débitent* et débitent,
Qui débitent l'acier
Et débitent la vie
Des hommes
Au couchant leurs cheminées
Sont de grandes silhouettes noires
Dressées contre le ciel.
A l'aube
Elles vomissent du feu rouge.
Les usines
Qui débitent de l'acier tout neuf
Et des hommes vieillis avant l'âge !

The Big Sea. An Autobiography, New York, 1940.
Cité par J. WAGNER, *Les Poètes nègres des États-Unis*, Istra, 1963.
© 1940 by Langston Hughes.
© renewed.

Les mots

débiter : découper en morceaux. Ici, produire une certaine quantité de choses dans un temps donné (travail en série ou à la chaîne).

Le texte

1. Les usines paraissent-elles effrayantes au poète?
2. Pourquoi? Relevez soigneusement tous les mots et expressions qui attestent cette peur.
3. Et à vous, les usines vous paraissent-elles être un bien ou un mal? Discutez-en.

Moi aussi je suis l'Amérique

Moi aussi je chante l'Amérique.
Je suis le frère obscur.
On m'envoie manger à la cuisine
Quand il vient du monde,
Mais je ris,
Je mange bien,
Et je prends des forces,
Demain,
Je resterai à table
Quand il viendra du monde.
Personne n'osera me dire alors :
« Va manger à la cuisine. »
Et puis
On verra bien comme je suis beau
Et on aura honte.
Moi aussi je suis l'Amérique.

Poèmes (Traduits par F. DODAT), Seghers, Paris, 1955.
Cité par L. KESTELOOT, *Anthologie négro-africaine*, Marabout-Université.
© 1926 by Alfred A. Knopf, Inc.
© renewed.

Le texte

1. Que veut nous dire Langston Hughes par cette image familière : *On m'envoie manger à la cuisine Quand il vient du monde?*
2. Le frère noir a-t-il honte? Se sent-il américain?
3. Langston Hughes vous paraît-il, au total, faire confiance à l'Amérique?

Un chant nouveau

Que l'Amérique soit à nouveau l'Amérique.
Qu'elle soit le rêve qu'elle était autrefois[1].
Qu'elle soit le pionnier dans la plaine
Cherchant un foyer où il sera libre.
L'Amérique jamais ne fut l'Amérique pour moi.

Que l'Amérique soit le rêve que rêvèrent les rêveurs[2]
Qu'elle soit ce grand pays fort où l'on s'aime,
Où jamais les rois ne laissent faire et où jamais les tyrans ne complotent
Pour qu'un homme / par un homme plus grand / soit écrasé.

Jamais elle ne fut l'Amérique pour moi.

O, que mon pays soit un pays où la Liberté
Ne se ceint pas de la couronne d'un faux patriotisme,
Où les chances sont réelles, où l'on peut vivre libre,
Et où l'égalité flotte dans l'air qu'on respire.
Il n'y a jamais eu d'égalité pour moi,
Ni de liberté dans cette « patrie des hommes libres[3] ».

....

Oh! oui,
Je le dis tout net,
L'Amérique jamais ne fut l'Amérique pour moi,
Et pourtant je jure ce serment
L'Amérique sera[4] !

A New Song (Extraits), International Workers Order, New York, 1938.
Cité par J. WAGNER, *Les Poètes nègres des États-Unis*, Istra, 1963.
© 1938 by Langston Hughes.
© renewed.

Notes :

1. Au cours des siècles, l'Amérique a représenté un rêve de liberté pour tant de persécutés, d'exilés, notamment européens, qui sont partis défricher ses terres vierges *(les pionniers)* et ont fondé la nation américaine, une des plus composites du monde.

2. Les grands penseurs et hommes politiques généreux qui lui ont donné une des constitutions les plus démocratiques du monde.

3. Allusion à un vers de l'Hymne national américain.

4. Le poète noir américain fait le serment (promesse solennelle) de travailler à l'édification de cette Amérique réellement démocratique qui permette à chacun de ses enfants, quelle que soit sa couleur, de vivre libre, dans la justice et l'égalité des chances.
Cette position intégrationniste est à présent rejetée par les jeunes extrémistes noirs américains qui la jugent idéaliste.

Le texte

1. Le noir a-t-il trouvé en Amérique ce foyer, cette « patrie de la liberté » qu'elle prétend être dans un vers de son hymne national?
2. Et pourtant Langston Hughes se fait-il une haute idée de l'Amérique? Montrez-le.

STERLING BROWN

(né en 1901)

Sterling Brown est « le plus amer et le plus ironique des poètes de la Négro-Renaissance ». Il puise plus volontiers son inspiration dans les chants de travail des esclaves dans les plantations, que dans les spirituals, trop résignés à son goût.

Il a choisi délibérément un style très simple et populaire bien qu'il ait été toute sa vie professeur de littérature dans plusieurs célèbres universités américaines.

Le vieux Roi Coton

Le vieux Roi Coton,
Le vieux Bonhomme Coton,
Nous tient en esclavage
Jusqu'à ce qu'on soit morts et pourris.

C'est lui qui nous commande
Et nous traite comme des chiens,
Le coton veut être cueilli !
Ouais, cause toujours...

Il nous affame quand la récolte est bonne,
Il nous affame quand elle ne vaut rien,
Il enchaîne la misère
Sur le pas de notre porte.

....

Le coton, le coton,
On ne connaît que ça ;
Le planter, le sarcler,
Le supplier de pousser ;
A quoi cela nous sert,
Dieu seul le sait !

Southern Road, New York, 1932.
Cité par J. WAGNER, *Les Poètes nègres des États-Unis,* Istra, 1963.

Le texte

Montrez, par le vocabulaire employé, qu'il s'agit là d'un chant populaire, à la manière de ceux qu'improvisaient les travailleurs noirs des plantations pour se donner du cœur à l'ouvrage tout en se plaignant de leur sort.

Les enfants du Mississippi : Inondation

Ceux-ci connaissent la peur ; ils ont beau chanter
. . . .

Ces gens savent ce que souffrir veut dire.
Ils ont vu
L'eau noire glouglouter, clapoter, rugir,
Prendre les économies d'une vie, emporter les maigres
Objets du ménage, des choses aussi chères que des
dieux lares ;
Ils ont connu la mort
Venue les surprendre, dévoreuse de bétail, d'enfants,
S'infiltrant avec l'eau noire,
En secret, insistante.

La mort a choisi des façons nouvelles
Maintenant pour venir à nous :
L'eau noire s'infiltre
Pendant qu'on dort,
La mort sur l'eau noire
Vilaine et traîtresse.
Que t'avons-nous fait
Pour que tu agisses de la sorte ?
En quoi t'avons-nous fait mal,
Fleuve au cœur noir?
T'as pas le droit du tout d'agir comme ça !

Children of the Mississippi, Southern Road, New York, 1932.
Cité par J. WAGNER, *Les Poètes nègres des États-Unis,* Istra, 1963.

Les mots

dieux lares : dieux protecteurs du foyer dans l'ancienne civilisation romaine païenne (avant la conversion de Rome au christianisme).
fleuve au cœur noir : le Mississippi est le grand fleuve américain le long duquel travaillaient les esclaves dans les plantations de coton, de tabac, de canne à sucre.

Le texte

1. Quelle est la catastrophe qui s'abat sur les pauvres ouvriers noirs des plantations, accroissant encore leur misère et leur peur?
2. Essayez d'expliquer l'image : *fleuve au cœur noir.*
3. Peut-on appeler ce chant : complainte? Pourquoi?

Poètes Haïtiens

... « Haïti où la négritude se mit debout pour la première fois et dit qu'elle croyait à son humanité. »

A. CÉSAIRE, *Cahier d'un retour au pays natal*, Paris, Présence Africaine, 1956.

LÉON LALEAU

(né en 1892)

Né le 3 août 1892 à Port-au-Prince, Léon Laleau a mené une double carrière d'homme de lettres et d'homme politique. Il est disciple du Dr Jean Price-Mars - auteur du célèbre essai d'ethnographie : Ainsi parla l'oncle (1928) - *qui rénova la culture africaine en Haïti : « Nous n'avons de chances d'être nous-mêmes que si nous ne répudions aucune part de l'héritage ancestral. Eh bien ! cet héritage, il est pour les huit-dizièmes un don de l'Afrique. »*

Aussi, en réaction contre les intellectuels « assimilés », Léon Laleau choisit d'exalter avec une certaine brutalité des thèmes nègres, même les plus primitifs, sans souci de choquer ses lecteurs, peut-être même avec la malicieuse volonté de les choquer.

Il appartiendra aux étudiants d'aborder le reste de cette œuvre vigoureuse, sinon violente, en la situant dans ce contexte de réaction contre une bourgeoisie haïtienne honteuse de ses origines.

Trahison

....

Ce cœur *obsédant*, qui ne correspond
Pas à mon langage ou à mes costumes,
Et sur lequel mordent, comme un *crampon*,
Des sentiments d'emprunt et des coutumes
D'Europe ; sentez-vous cette souffrance
Et ce désespoir à nul autre égal
D'apprivoiser, avec des mots de France,
Ce cœur qui m'est venu du Sénégal ?

Musique Nègre, Port-au-Prince, 1931.
Cité par L. KESTELOOT, *Anthologie négro-africaine,*
Marabout-Université.

Les mots

obsédant : qui importune, qui tourmente et ne se laisse pas oublier.

crampon : pièce de métal recourbé servant à fixer fortement. Ex. : des chaussures à crampon.

Le texte

1. Pourquoi son cœur obsède-t-il le poète noir ?
2. Comprenez-vous pourquoi ce huitain (huit vers) est célèbre et se trouve fréquemment cité dans les débats sur l'utilisation des langues africaines ?

JACQUES ROUMAIN

(1907-1944)

Né à Port-au-Prince, Jacques Roumain fut, en 1927, un des fondateurs de la Revue indigène *qui, dans la ligne du vigoureux mouvement amorcé par le Dr Jean Price-Mars, médecin, diplomate, ethnologue, retrouvait en Afrique les sources de la culture haïtienne (voir la biographie de Léon Laleau).*

Pour J. Roumain, la libération des Haïtiens passe par une double prise de conscience : celle de leur négritude, celle de la nécessaire violence révolutionnaire telle que la propose le marxisme pour faire cesser « l'exploitation de l'homme par l'homme ».

Fondateur en 1934 du parti communiste haïtien, contraint à l'exil, il ne rentra qu'en 1941 et mourut prématurément, à 37 ans, en pleine bataille politique.

Son roman paysan : Gouverneurs de la Rosée, *est un chef-d'œuvre qui a fait le tour du monde noir.*

« Mais ce fut surtout par quelques poèmes, les plus agressifs qu'ait jamais écrits un poète noir, qu'il marqua fortement Césaire, Damas et David Diop... jusqu'au doux Senghor qui, les rares fois qu'il se fâche, retrouve spontanément des accents, des rythmes, des images de Roumain. Rien de plus violent et de plus humaniste à la fois que les trois poèmes de Bois d'ébène. *Tous les grands thèmes de la révolte nègre s'y trouvent condensés en quelques pages : esclavage, exil, travail forcé, lynch, ségrégation, oppression coloniale, nostalgie de l'Afrique, rassemblement de la diaspora nègre sous le drapeau de la révolution : « Nous ne chanterons plus les tristes spirituals désespérés. »*

Mais Roumain ne se contente pas d'une revendication raciale. Il exige la justice pour tous « les forçats de la faim » et élargit son appel à ces « opprimés de tous les pays » au-delà des différences de couleur. Ce qui constitue la grandeur de Roumain, et ce qui excuse la brutalité de son langage, c'est justement qu'il a su donner cette ampleur à son humanisme. » (L. Kesteloot.)

Principales œuvres :

Bois d'ébène, poèmes, Port-au-Prince, 1945.
Gouverneurs de la Rosée, roman, édition posthume d'un roman écrit en 1944, Paris, Éditeurs Français Réunis, 1950.

Souvenir de l'Afrique

Afrique / j'ai gardé ta mémoire Afrique /
/ Tu es en moi
Comme l'*écharde* dans la blessure
Comme un fétiche *tutélaire* au centre du village /
/ Fais de moi la pierre de ta fronde
De ma bouche les lèvres de ta plaie
De mes genoux les colonnes brisées de ton abaissement... /

Bois d'ébène, Éditeurs Français Réunis, Paris, 1945
et Port-au-Prince, Imprimerie H. Deschamps, 1945.

Les mots

écharde : brin de bois qui entre dans la peau provoquant une petite blessure.

tutélaire : protecteur.

Le texte

1. Les poètes noirs que les circonstances historiques ont fait naître en diverses parties du monde peuvent-ils et veulent-ils oublier l'Afrique, même s'ils n'y ont jamais vécu ?
2. Que demande le poète à l'Afrique humiliée ? Pourquoi ?

Bois d'ébène

... Nègre colporteur de révolte
Tu connais les chemins du monde
Depuis que tu fus vendu en Guinée
Une lumière chavirée t'appelle
Une pirogue livide
Échouée dans la suie d'un ciel de faubourg

Cheminées d'usines
Palmistes décapités d'un feuillage de fumée
Délivrent une signature véhémente

La sirène ouvre ses vannes
Du pressoir des fonderies coule un vin de haine
Une houle d'épaules / l'écume des cris /
Et se répand dans les ruelles
Et fermente en silence
Dans les taudis / cuves d'émeute /

Voici pour ta voix un écho de chair et de sang
Noir messager d'espoir
Car tu connais tous les chants du monde
Depuis ceux des chantiers immémoriaux du Nil

Tu te souviens de chaque mot / *le poids des pierres d'Égypte* /
Et l'élan de ta misère a dressé les colonnes des temples
Comme un sanglot de sève la tige des roseaux

Cortège titubant ivre de mirages
Sur la piste des caravanes d'esclaves
Élèvent
Maigres branchages d'ombres enchaînés de soleil
Des bras implorants vers nos dieux

Mandingue Arada Bambara Ibo
Gémissant un chant qu'étranglaient les carcans
(et quand nous arrivâmes à la côte
Mandingue Bambara Ibo
Quand nous arrivâmes à la côte,
Bambara Ibo
Il ne restait de nous
Bambara Ibo
Qu'une poignée de grains épars
Dans la main du semeur de mort)...

Bois d'ébène, Éditeurs Français Réunis, Paris, 1945
et Port-au-Prince, Imprimerie H. Deschamps, 1945

Les mots

le poids des pierres d'Égypte : les temples funéraires égyptiens, les célèbres et colossales pyramides, ont été bâtis par les esclaves.

Mandingue Arada Bambara Ibo : les ethnies africaines ravagées par la traite.

Le texte

1. Expliquez les images : *Une lumière chavirée t'appelle*
Une pirogue livide
Échouée dans la suie d'un ciel de faubourg
Cheminées d'usines
Palmistes décapités d'un feuillage de fumée
Délivrent une signature véhémente.
De quels nègres Roumain nous parle-t-il ici ?
2. Cette image : *Les taudis cuves d'émeute* vous paraît-elle juste et frappante ? Pourquoi ?
3. Trouvez les vers qui montrent que, pour Roumain, la révolte de tous les prolétaires du monde est la réponse normale et fraternelle à la révolte des nègres déportés.
4. Les nègres déportés et condamnés au travail forcé ne lui paraissent-ils pas les premiers et les plus malheureux des prolétaires ?

Temps fraternel

... Je ne veux être que de votre race
Ouvriers paysans de tous les pays.
Ce qui nous sépare :
Les climats l'étendue l'espace
Les mers...

... Est-ce tout cela, climat, étendue, espace
Qui crée le clan la tribu la nation
La peau la race et les dieux,
Notre dissemblance *inexorable?*
Et la mine
Et l'usine
Les moissons arrachées à notre faim
Notre commune indignité
Notre servage sous tous les cieux invariables ?

... Ouvrier blanc de Détroit, *péon* noir d'Alabama
Peuple innombrable des galères capitalistes
Le destin nous dresse épaule contre épaule
Et reniant l'antique maléfice des *tabous du sang*
Nous foulons les décombres de nos solitudes.

... Comme la contradiction des traits
Se résout en l'harmonie du visage,
Nous proclamons l'unité de la souffrance
Et de la révolte
De tous les peuples sur toute la surface de la terre,
Et nous brassons le mortier des temps fraternels
Dans la poussière des idoles.

Bois d'ébène, Éditeurs Français Réunis, Paris.

Les mots

inexorable : inévitable, que l'on ne peut empêcher ni fléchir.
péon (plur. : peones) ***:*** ouvrier agricole, manœuvre en Amérique du Sud (mot d'origine espagnole).
tabous du sang : caractère d'un objet, d'un être ou d'un acte dont il faut se détourner en raison de sa nature sacrée. Défendu, intouchable. (Mot d'origine polynésienne.) Souvent les rapports étaient interdits avec d'autres ethnies ou d'autres castes sous peine de malheur !

Le texte

1. Pour J. Roumain, la fraternité de tous les pauvres, de tous les opprimés ne doit-elle pas être plus forte que les barrières de races, de frontières, de religions qu'on lui oppose artificiellement et que certains prétendent infranchissables ?
2. Le credo du poète est-il un acte de foi en l'avenir?

JEAN-FRANÇOIS BRIÈRE

(né en 1909)

D'abord instituteur, J.-F. Brière s'engagea tôt dans l'action révolutionnaire comme son compagnon de luttes J. Roumain, et, de ce fait, connut plusieurs fois la prison, puis l'exil.

C'est l'amour du pays natal, « la solidarité triomphante de la race », la révolte et la soif de liberté que J.-F. Brière exprime dans une langue simple et directe, très proche parfois de la prose, le torrent des mots charriant de grandes et belles images gonflées de souffrance.

Me revoici, Harlem

Frère Noir, me voici ni moins pauvre que toi,
Ni moins triste ou plus grand. Je suis parmi la foule
L'*anonyme* passant qui grossit le convoi,
La goutte noire solidaire de tes *houles*.

Vois, tes mains ne sont pas moins noires que nos mains,
Et nos pas à travers des siècles de misère
Marquent le même *glas* sur le même chemin :
Nos ombres s'enlaçaient aux marches des calvaires.

Car nous avons déjà côte à côte lutté.
Lorsque je trébuchais, tu ramassais mes armes,
Et de tout ton grand corps par le labeur sculpté,
Tu protégeais ma chute et souriais en larmes.

De la jungle montait un silence profond
Que brisaient par moments d'*indicibles souffrances*
Dans l'âcre odeur du sang je relevais le front
Et te voyais dressé sur l'horizon, immense.

Nous connûmes tous deux l'horreur des négriers...
Et souvent comme moi tu sens des courbatures
Se réveiller après les siècles meurtriers,
Et saigner dans ta chair les anciennes blessures.

Mais il fallut nous dire adieu vers seize cent[1].
Nous eûmes un regard où dansaient des *mirages*,
D'épiques visions de bataille et de sang :
Je revois ta silhouette aux ténèbres des âges.

Ta trace se perdit aux rives de l'Hudson.
L'été à Saint-Domingue accueillit mon angoisse,
Et l'écho me conta dans d'étranges chansons
Les Peaux-Rouges pensifs dont on défit la race[2].

Les siècles ont changé de chiffres dans le temps.
Saint-Domingue, brisant les chaînes, les lanières,
- L'incendie étalant *sa toile de titan* -
Arbora son drapeau sanglant dans la lumière.

Me revoici, Harlem. Ce drapeau, c'est le tien,
Car le pacte d'orgueil, de gloire et de souffrance,
Nous l'avons contracté pour hier et demain :
Je déchire aujourd'hui *les suaires du silence*.

Ton carcan blesse encor mon cri le plus fécond.
Comme hier dans la cale aux sombres agonies,
Ton appel se déchire aux barreaux des prisons,
Et je respire mal lorsque *tu t'asphyxies*.

Nous avons désappris le dialecte africain,
Tu chantes en anglais mon rêve et ma souffrance,
Au rythme de tes blues dansent mes vieux chagrins,
Et je dis ton angoisse en la langue de France.

Le mépris qu'on te jette est sur ma joue à moi.
Le Lynché de Floride a son ombre en mon âme.
Et du bûcher sanglant que protège la loi,
Vers ton cœur, vers mon cœur, monte la même flamme.

Quand tu saignes, Harlem, *s'empourpre mon mouchoir*.
Quand tu souffres, ta plainte en mon chant se prolonge.
De la même ferveur et dans le même soir,
Frère Noir, nous faisons tous deux le même songe.

Cité par L. S. SENGHOR,
Anthologie de la Nouvelle poésie nègre et malgache, Paris, P.U.F., 1948.

Notes :

1. Vers 1600, début du XVIIe siècle, commença la traite : des noirs furent déportés en Amérique du Nord, d'autres au Brésil, d'autres dans les îles : Saint-Domingue, Haïti, Cuba, Martinique, Guadeloupe...

2. Les Indiens Peaux-Rouges, indigènes de l'Amérique, furent décimés ou parqués dans des réserves par ces mêmes colons blancs qui achetaient des esclaves noirs pour mettre en valeur ce nouveau continent.

Les mots

anonyme : sans nom, inconnu.
la houle : ondulation de la mer agitée par le vent.
glas : tintement de cloche pour annoncer la mort de quelqu'un.
indicibles souffrances : des souffrances si grandes qu'elles sont impossibles à dire, à raconter.
mirages : ici, sens figuré : illusion trompeuse. Nous eûmes un instant l'illusion que nous pourrions livrer de grandes batailles contre nos oppresseurs.
sa toile de titan : un titan est une personne d'une puissance extraordinaire, gigantesque. De grandes révoltes des esclaves firent de Haïti et de Saint-Domingue les premières républiques noires indépendantes. D'où l'image : *L'incendie* (de la révolte) *étalant sa toile* gigantesque.
les suaires du silence : le suaire est le linceul, le drap dans lequel on ensevelit un mort. Le silence qui entoure le drame de l'esclavage est comme le linceul qui enveloppe un mort. Le poète déchire ce linceul de silence par ses cris de douleur et de révolte.
tu t'asphyxies : s'asphyxier, c'est mourir parce que l'on ne peut plus respirer ou que l'on manque d'air pur en quantité suffisante pour assurer la respiration.
s'empourpre mon mouchoir : mon mouchoir se colore de pourpre, de la couleur rouge de ton sang.

Le texte

1. Natif des Grandes Antilles, J.-F. Brière se sent-il frère des noirs américains de Harlem? Pourquoi?
2. Peut-on dire de ce poème qu'il est « la geste » (l'épopée) des Noirs déportés?

Black Boy

Fragment de « Black Soul » *(Ame noire)*

Je vous ai rencontrés dans les *ascenseurs*
à Paris.
Vous vous disiez du Sénégal ou des Antilles.
Et les mers traversées écumaient à vos dents,
hantaient votre sourire,
chantaient dans votre voix comme au creux des rochers.
Dans le plein jour des Champs-Élysées
je croisais brusquement vos visages tragiques.
Vos masques attestaient des douleurs centenaires.
A *la Boule-Blanche*
ou sous les couleurs de Montmartre,
votre voix,
votre souffle,
tout votre être *suintait* la joie.
Vous étiez la musique et vous étiez la danse,
mais persistait aux commissures de vos lèvres,
se déployait aux contorsions de votre corps
le serpent noir de la douleur...

... Vous souriez, *Black Boy*,
Vous chantez,
Vous dansez,
Vous bercez les générations
qui montent à toutes les heures
sur les fronts du travail et de la peine,
qui monteront demain à l'assaut *des bastilles*
vers les *bastions* de l'avenir
pour écrire dans toutes les langues,
aux pages claires de tous les ciels,
la déclaration de tes droits méconnus
depuis plus de cinq siècles,
en Guinée,
au Maroc,
au Congo,
partout enfin où vos mains noires
ont laissé aux murs de la Civilisation
des empreintes d'amour, de grâce et de lumière...

Extrait de *Black Soul.*
Cité par L. S. SENGHOR, *Anthologie de la Nouvelle poésie nègre et malgache,* Paris, P. U. F., 1948.

Les mots

ascenseur : appareil servant à monter et à descendre très rapidement dans un grand immeuble.
la Boule-Blanche : célèbre cabaret de Montmartre, ce quartier de Paris où l'on va s'amuser, danser.
suinter : laisser s'écouler, sortir presque insensiblement.
Black Boy : au sens littéral : garçon noir. Façon familière et méprisante aux États-Unis d'interpeller un noir sans chercher à connaître son nom propre, ou du moins l'appeler monsieur.
des bastilles : des prisons, par référence à la célèbre forteresse de Paris, prison d'État sous la monarchie, prise d'assaut par les révolutionnaires, le 14 juillet 1789.
bastion : partie d'angle d'une fortification et la plus résistante. Au sens figuré : ce qui forme un soutien inébranlable, un noyau de résistance indestructible.

Le texte

1. A quelle critique du nègre le poète fait-il allusion en utilisant ces verbes : *vous souriez, vous chantez, vous dansez?*
2. Pourquoi l'auteur passe-t-il brusquement du vouvoiement au tutoiement : *la déclaration de* **tes** *droits?*
3. Quelles sont, aux yeux du poète, les valeurs qu'apporte l'homme noir à la Civilisation universelle?
4. Connaissez-vous d'autres poètes noirs qui partagent cette opinion?

RENÉ DEPESTRE

(né en 1926)

René Depestre, né à Jacmel (Haïti) le 29 août 1926, admirateur de Jacques Roumain et d'Aimé Césaire, est un bouillant militant révolutionnaire qui a dû, comme beaucoup d'autres intellectuels, choisir la liberté d'expression au prix de l'exil. Il s'est réfugié à Cuba.

Haïti, première république noire, est certes indépendante depuis 1804, mais n'a accédé encore ni à la démocratie, ni au développement économique et social.

« Haïti, il y a des centaines d'années que j'écris ce nom sur le sable, et la mer toujours l'efface », s'est écrié Depestre avec amertume.

Principales œuvres :

Étincelles, Imprimerie de l'État, Haïti.
Gerbes de Sang, Imprimerie de l'État, Haïti.
Traduit du Grand Large, poèmes, Paris, Seghers, 1952.
Minerai noir, poèmes, Paris, Présence Africaine, 1956.
Végétation de clarté, Paris, Seghers, 1951.

Ma bouche noire de misère

Ma bouche noire de misère
de salive noire
noire de nuit noire
boit son bol de clartés
Ma bouche enceinte de chansons
enceinte de couleuvres
de mon premier cri d'enfant
tient des propos
qui scient la lune en deux

Et c'est ma bouche
pleine de rumeurs
qui dit aux hommes
la peine d'un monde
qui s'ouvre les veines.

Traduit du Grand Large, *Seghers, 1952.*

Les mots

ma bouche enceinte de couleuvres : ma bouche contient des chansons, mais aussi des choses pénibles, difficiles à avaler (cf. l'expression : faire avaler des couleuvres à quelqu'un).
qui scient la lune en deux : comme beaucoup de poètes noirs, Depestre a subi l'influence du surréalisme qui recherche les images bizarres, insolites, propres à étonner le lecteur, afin d'éveiller son attention et son imagination.
qui s'ouvre les veines : image de suicide, de désespoir.

Le texte

1. Étudiez les répétitions de mots. Quel effet le poète en tire-t-il ?
2. Quel est le ton de ce poème ?

On les reconnaît

Dans tous les lieux du monde
On les reconnaît
Au lait qui coule de leurs rires

On les reconnaît
A leur cœur rompu
A leurs muscles sans repos

On les reconnaît
A leurs jambes déliées
A leurs poings de dur métal
Aux rossignols qui nichent dans leur gosier

Dans tous les lieux du monde
Nègres de triste saison.

Minerai noir, Présence Africaine, 1956.

Le texte

1. A quoi reconnaît-on les noirs dans le monde selon Depestre ? Ne discernez-vous pas une contradiction dans le portrait que le poète nous trace des nègres ?
2. Cette dissonance dans la personnalité des noirs est-elle le résultat d'une disposition psychologique innée ou d'une situation particulière ? (Expliquez l'expression : *Nègres de triste saison.*)

Poème de ma patrie enchaînée

Veille ô mon nègre veille sur la rose blessée de ta peau noire
Veille ô mon nègre veille sur chaque pétale arraché à ta fleur nocturne

Veille sur chaque flaque de midi nègre
Que personne n'ose effacer l'éclat lunaire du sang répandu
Pour qu'il puisse imbiber chacun de tes pas des remous de son orageux
[printemps !

Ainsi drapé dans la plus haute saison de ton peuple
Va mon nègre courir à toute bride les espérances du monde
Et reviens illuminé de toutes les mains que tu auras serrées
De tous les livres lus et les pains partagés
De toutes les femmes que tu auras accordées
De tous les jours que tu auras défrichés
Pour que naisse la céréale dorée de l'humain !

Minerai noir, Présence Africaine, 1956.

Le texte

1. Rassemblez et détaillez les images que Depestre applique au nègre.
2. Dégagez les trois mouvements qui sont autant de missions assignées au nègre par le poète.

Poètes Antillais

GUYANE - MARTINIQUE
GUADELOUPE

LÉON DAMAS

(né en 1912) GUYANE

Membre fondateur du journal l'Étudiant Noir, *à Paris, dans les années 34-35, avec Césaire, Senghor, Birago Diop, Ousmane Socé Diop, Léon Damas fut le premier à publier un recueil de vers,* Pigments *(1937), qui explosa comme une bombe dans le milieu des intellectuels noirs en France.*

Ses appels au pacifisme et à la révolte des peuples colonisés valurent à ce livre d'être interdit dans ces années troublées qui précédèrent la seconde guerre mondiale.

Dans son Anthologie négro-africaine *(Marabout-Université), L. Kesteloot écrit :*

« *Il n'est pas inutile de connaître un peu la vie de Damas pour pénétrer davantage les motifs personnels de ce mélange de sensibilité aiguë et d'ironie cinglante, d'amertume voilée et de rage explosive qui caractérise son style poétique.*

Métis de Blanc, de Nègre et d'Indien, Damas est un être complexe. Issu de famille bourgeoise, il fut soigneusement éduqué par une mère férue de « bonnes manières » qui eut à cœur de les inculquer à son fils et qu'il ressentit comme un affreux carcan imposé à ses goûts et à sa spontanéité naturelle. »

Malade et infirme jusqu'à l'âge de sept ans, en proie aux moqueries de ses camarades parisiens pour qui la Guyane ne représentait que « le bagne » (la France y déportait ses criminels et bandits irrécupérables), Damas avait une sensibilité d'écorché vif et se montrait très susceptible.

Par réaction, il défendit avec virulence sa qualité de nègre : le Black Label.

Il abandonna le Droit pour des études d'ethnologie, à la recherche d'un réenracinement. Il fréquenta les Africains de tous milieux qu'il put rencontrer à Paris.

Ses parents ayant « coupé les vivres » à ce fils trop peu sérieux à leur goût, Damas dut se livrer à toutes sortes de métiers et connut la misère de Paris, avec son froid et sa solitude, jusqu'à ce qu'une pétition des étudiants noirs lui obtînt une bourse.

L. Kesteloot écrit encore dans sa thèse, « Écrivains noirs de Langue Française » : ... « *Césaire et Damas, parce qu'Antillais, connurent plus que Senghor la frustration d'une Afrique perdue, lointaine, la souffrance de l'exil, le désespoir de voir jamais leurs compatriotes se libérer de l'aliénation profonde de l'esclavage ancien. Plus inquiète sera la quête de leurs sources, plus amère leur rancune contre l'Europe, et plus rares leurs paroles de pardon.* »

Si la négritude prête aujourd'hui à équivoque et à contestation, « elle n'était rien de cela à sa naissance et reste, pour ses fondateurs officiels, une notion évidente, nécessaire, même s'ils en ont accentué des aspects différents ».

Principales œuvres :

Pigments, poèmes, Guy Levis Mano, 1937. Réédités par Présence Africaine en 1962.
Veillées noires, récits guyanais, Stock, 1943.
Poèmes nègres sur des airs africains, G. L. M., 1948.
Graffiti, poèmes, P. Seghers, 1952.
Black Label, poèmes, N. R. F., 1956.

Savoir-vivre

On ne bâille pas chez moi
Comme ils bâillent chez eux
Avec
La main sur la bouche

Je veux bâiller sans tralalas
Le corps recroquevillé
Dans les parfums qui tourmentent la vie
Que je me suis faite
De leur museau de chien d'hiver
De leur soleil qui ne pourrait
Pas même
Tiédir
L'eau de coco qui faisait glouglou
Dans mon ventre au réveil

Laissez-moi bâiller
La main
Là
Sur le cœur
A l'obsession de tout ce à quoi
J'ai en un jour un seul
Tourné le dos.

Pigments, poème, G. L. M., 1937, Présence Africaine, 1962.

Le texte

1. Quelle est la revendication du poète?
2. Les règles de politesse sont-elles les mêmes dans toutes les sociétés? Est-il légitime qu'une société veuille imposer les règles qu'elle s'est forgée à d'autres sociétés très différentes d'elle?
3. La spontanéité, le courage d'être soi-même ne valent-ils pas une politesse qui ne viendrait pas du cœur, qui ne serait qu'une façade hypocrite?

Il est des nuits

Il est des nuits sans nom
Il est des nuits sans lune
Où jusqu'à l'asphyxie
Moite
Me prend
L'âcre odeur de sang
Jaillissant
De toute trompette bouchée

Des nuits sans nom
Des nuits sans lune
La peine qui m'habite
M'oppresse
La peine qui m'habite
M'étouffe

Nuits sans nom
Nuits sans lune
Où j'aurais voulu
Pouvoir ne plus douter
Tant m'obsède d'écœurement
Un besoin d'évasion

Sans nom
Sans lune
Sans lune
Sans nom
Sans nom sans nom
Où le dégoût s'ancre en moi
Aussi profondément qu'un beau poignard malais.

Pigments, Présence Africaine, 1962.

Le texte

1. En vous rappelant que la trompette bouchée est un des instruments majeurs de la musique de jazz, expliquez pourquoi le poète ressent *l'âcre odeur de sang jaillissant de toute trompette bouchée.*
2. Par quels moyens Damas nous communique-t-il ses sensations d'asphyxie et d'écœurement?
3. Ce poème n'est-il pas lui-même semblable à une obsédante musique de jazz?

Trêve

Trêve de blues
De martèlements de piano
De trompette bouchée
De folie claquant des pieds
A la satisfaction du rythme

Trêve de séances à tant le swing
Autour de rings
Qu'énervent
Des cris de fauves

Trêve de lâchage
De léchage
De lèche
Et
D'une attitude
D'hyperassimilés

Trêve un instant
D'une vie de bon enfant
Et de désirs
Et de besoins
Et d'égoïsmes
Particuliers

Pigments, Présence Africaine, 1962.

Le texte

1. Montrez que Damas est excédé de l'image limitée et immuable que l'on donne du nègre et où l'on veut l'enfermer : amateur de rythme, de boxe, servile, insouciant, égoïste.
2. Cependant la musique de jazz ne modèle-t-elle pas le rythme de ce poème?

Rendez-les moi, mes poupées noires

... Rendez-les moi mes poupées noires
Que je joue avec elles
Les jeux naïfs de mon instinct
Resté à l'ombre de ses lois
Recouvré mon courage
Mon audace
Redevenu moi-même
Nouveau moi-même
De ce que Hier j'étais
Hier sans complexité
        Hier
Quand est venue l'heure du déracinement.

Le sauront-ils jamais cette rancune de mon cœur
A l'œil de ma méfiance ouvert trop tard
Ils ont cambriolé l'espace qui était mien
        La coutume
        Les jours
        La vie
        La chanson
        Le rythme
        L'effort
        Le sentier
        L'eau
        La case
        La terre enfumée grise
        La sagesse
        Les mots
        Les palabres
        Les vieux
        La cadence
        Les mains
        La mesure
        Les mains
        Les piétinements
        Le sol

Rendez-les moi mes poupées noires
Mes poupées noires
Poupées noires
                Noires
                        Noires.

Limbé (Extraits), *Pigments*, Présence Africaine, 1962.

Le texte

Par son fond et par sa forme ce poème ne pourrait-il s'intituler « la complainte de l'exilé » ?

La revanche du nègre

Jamais le Blanc ne sera nègre
Car la beauté est nègre
et nègre la sagesse
car l'endurance est nègre
et nègre le courage
car la patience est nègre
et nègre l'ironie
car le charme est nègre
et nègre la magie
car l'amour est nègre
et nègre le déhanchement
car la danse est nègre
et nègre le rythme
car l'art est nègre
et nègre le mouvement
car le rire est nègre
car la joie est nègre
car la paix est nègre
car la vie est nègre

T'en souvient-il ?

Fragments du poème *Black Label*, Gallimard, Paris, 1956.

Le texte

1. Détaillez les qualités que Damas attribue au nègre.
2. Ces qualités vous paraissent-elles uniquement et exclusivement nègres ?
3. Pourquoi l'auteur a-t-il adopté cette attitude partiale et quasi raciste ? (A qui s'adresse ce poème, à quelle époque, quelle était la situation personnelle de Damas ?) Cette position n'est-elle pas résumée dans le titre du poème ?
4. Pensez-vous que le poète écrirait exactement la même chose aujourd'hui ou se montrerait-il plus nuancé ?

GILBERT GRATIANT

(né en 1895) MARTINIQUE

Né en 1895 à Saint-Pierre, il vint en France poursuivre ses études secondaires et supérieures à Vendôme, puis au Lycée Henri IV, et passa l'agrégation.

Il enseigna ensuite l'anglais au Lycée Schoelcher de Fort-de-France.

A partir de 1928, il retourna en France, professant au Lycée de Toulouse, puis au Lycée Molière à Paris.

Au cours de son passage à la Martinique, Gilbert Gratiant apporta pleinement son concours au mouvement littéraire Lucioles, *créé en 1927 à Fort-de-France par des intellectuels martiniquais.*

Se faisant l'interprète de ce mouvement culturel, G. Gratiant disait dans l'article de présentation de Lucioles :

... « *Lucioles* », *votre assaut inlassé est l'image facile de la bonne lutte.* « *Lucioles* » *des Lettres, riches de la pensée d'un Proche-Occident, riches aussi de l'effort martiniquais, nos feuillets emporteront poèmes et chants, critiques, études et contes dans le crépuscule cendré de nos Antilles.* »

... « *Nous connaîtra qui veut hausser son esprit par la discipline de l'effort intellectuel, par l'investigation des problèmes littéraires, problèmes vivants, problèmes féconds.*

Nous connaîtra qui veut savoir où en sont les lettres martiniquaises et de quel pas, boiteux ou alerte, elles marchent. »

Si ce mouvement eut une existence brève, il n'en marqua pas moins, par les répercussions qu'il eut jusqu'en Guadeloupe et en Guyane, le réveil culturel des Antilles.

La part du nègre (1)

Sous la dure *grenaille* de poivre,
Sous les drus tortillons crépus,
Sous le caillou du crâne étroit,
C'est là que palpite la cervelle.

Sous les *pectoraux* luisants et noirs
Dans les bras aux muscles d'*écorché*,
Si fins et déliés,
Au long des souples jambes longues,
Des reins étroits,
Dans les chevilles de chèvre maigre,
Dans le relief du torse sculpté,
Dans les poignets serrés et forts
Tourne et monte et redescend le sang,
Le sang du cœur très rouge
Très rouge et chaud
Le cœur du Nègre.

Il est bien fait pour gémir, pour crier,
Le Nègre,
Bien fait pour danser, pour courir,
Et pour rire,
A vastes éclats de rire,
A cascades de jaillissante joie,
A grands fracas de bruit,
A grand plaisir de l'orteil au cheveu
Le Nègre
Levain des races claires
Plus lourdes et plus dures,
Chantre *psalmodiant* des *litanies* de peine
Et *puéril piégé d'insouci*,
Le client primordial de la vie,
L'enchaîné des cadences,
L'envoûté des riches palabres
L'insatiable mangeur d'amour,
Et le fumeur de songeries,
Le Nègre
Si grand par le service et si haut par le don !

Les mots

grenaille : métal réduit en menus grains, par exemple : de la grenaille de plomb. Se dit aussi des débris de grains cassés que l'on jette aux volailles.
pectoraux : les muscles saillants de la poitrine.
écorché : un *écorché* en sciences naturelles est un modèle d'homme ou d'animal représenté complètement dépourvu de sa peau, pour rendre visibles les muscles, les veines, les nerfs et les articulations.
levain : matière qui suscite la fermentation, par exemple, un morceau de pâte aigrie qui, mêlée à la pâte du pain, le fait lever et fermenter, le rendant ainsi plus léger et digeste.
psalmodier : c'est chanter ou réciter des chants bibliques sans inflexion de voix. Au sens figuré, c'est déclamer avec monotonie.
litanies : longues prières que l'Église catholique chante en l'honneur de Dieu, de la Vierge ou des Saints. Au sens figuré et familier, ce sont de longues et monotones énumérations.
puéril piégé d'insouci : enfantin, insouciant comme un enfant (puéril vient du mot latin *puer :* enfant). Le nègre se laisse prendre (piégé) à l'insouciance comme un enfant.

Le texte

1. En quoi les cheveux du Nègre ressemblent-ils à de la *grenaille de poivre?*

2. Quel portrait Gratiant nous fait-il du Nègre : - au physique? - au moral?

3. Expliquez les expressions :
Le Nègre
Levain des races claires
Plus lourdes et plus dures.
L'enchaîné des cadences : de quelles cadences s'agit-il?
L'envoûté des riches palabres.

4. Quelles sont les qualités majeures qu'il reconnaît au Nègre?

La part du nègre (2)

Il est bien fait
Pour tout souffrir, tout pâtir et subir,
Le Nègre
Redouter longuement
Jusqu'à l'éclair libérateur
Des cosmiques colères de l'orgueil,
Et jusqu'à l'ascension
Vers le vaste possible et ses pics enneigés.

La terre est pleine d'arbres
Et le ciel de tempêtes
L'eau sourd des chauds humus où la bête s'éveille,
Et le Nègre connaît
Par longue intimité et profond cousinage
Le langage des eaux parlant avec les astres,
La volonté du vent et les ordres du feu.

Merci, au nom de l'homme,
Pour ta part apportée :
Tes bras étaient chargés
Et pliant le genou
Esclave ou bien guerrier,
Tu mis aux pieds du Monde
Les fruits de la ferveur et le pouvoir du rythme.

Salut homme, l'un d'entre les hommes,
Toi qui sais si bellement
Dans le même moment craindre aimer et braver
Et puis servir, servir, servir,
Et oublier !

Sel et Sargasses, Soulanges, Paris, 1944.

Le texte

1. Quelle nuance de sens y a-t-il entre pâtir et subir?
2. Par tous ses maux passés le nègre n'a-t-il pas été rendu craintif, même à l'égard de sa libération?
3. Que pensez-vous de ces vers : *Et le Nègre connaît*
   Par longue intimité...
   ...et les ordres du feu.
   et *Tu mis aux pieds du Monde*
   ...et le pouvoir du rythme.

   Ne s'agit-il pas là de quelques-unes des valeurs de la Négritude que Senghor exaltera?
4. *Au rendez-vous universel du donner et du recevoir,* le nègre arrive-t-il les mains vides?

AIMÉ CÉSAIRE

(né en 1913) MARTINIQUE

Né le 25 juin 1913 à Basse-Pointe, Césaire a préparé une licence de lettres à Paris où il a été le condisciple de Senghor.

De retour au pays, il enseigne au Lycée de Fort-de-France et publie en 1939, dans une petite revue locale, le Cahier d'un retour au pays natal, *qui devra attendre l'après-guerre pour rendre son auteur célèbre, dans le sillage des poètes surréalistes français (la poésie est accès aux profondeurs, au mystère de la réalité vivante).*

Militant communiste, il est élu député de la Martinique, mais il se sépare du Parti Communiste français en 1956 par une retentissante lettre à Maurice Thorez et fonde son propre parti.

Il est maire de Fort-de-France.

Le rôle de Césaire est majeur dans le Mouvement de la Négritude. Pourtant c'est une poésie très difficile: les phrases sont bâties selon des modèles peu courants, apparemment désarticulées, le vocabulaire, riche et rare (mots peu usités, recherchés), les images aussi éclatantes que difficiles à comprendre. Chaque vers de Césaire contient une image ou une série d'images dont la signification symbolique est difficile à déchiffrer.

Mais la force de sa foi, l'authenticité de son engagement, l'éclatante vigueur d'une œuvre profondément humaniste, la parfaite harmonie entre sa vie, son œuvre et son action, expliquent bien la place éminente de Césaire dans le monde négro-africain et le retentissement de son œuvre.

Principales œuvres :

Cahier d'un retour au pays natal, 1939, poème.
Les armes miraculeuses, 1946, poèmes.
Soleil cou coupé, 1948, poèmes.
Discours sur le colonialisme, 1950, essai.
Et les chiens se taisaient, 1956, tragédie.
La tragédie du roi Christophe, 1964, tragédie.
Une saison au Congo, 1965 (le drame de Patrice Lumumba).

Hors des jours étrangers

Quand donc
mon peuple

/ quand
hors des jours étrangers
germeras-tu une tête bien tienne sur tes épaules renouées /
/ et ta parole
le congé dépêché aux traîtres
aux maîtres /
le pain restitué / la terre lavée /
la terre donnée /

quand,
quand donc cesseras-tu d'être le jouet sombre
au *carnaval* des autres
ou dans les champs d'autrui
l'*épouvantail désuet*

demain
/ à quand demain mon peuple /
la déroute mercenaire
/ finie la fête /

mais la rougeur de l'est au cœur de *balisier*

peuple de mauvais sommeil rompu
peuple d'abîmes remontés
peuple de cauchemars domptés
peuple nocturne / amant des fureurs du tonnerre /
demain plus haut / plus doux / plus large

et la houle torrentielle des terres
à la charrue salubre de l'orage.

Ferrements, le Seuil, 1959. Cité par L. KESTELOOT
Anthologie négro-africaine Marabout-Université.

Les mots

carnaval : temps destiné aux divertissements tels que les défilés et les bals masqués et qui se situe avant le carême, temps de pénitence.
épouvantail : bâton habillé placé dans les champs pour effrayer les oiseaux et les éloigner des récoltes.
désuet : vieux, démodé.
balisier : arbrisseau indien aux grandes feuilles et aux grappes de fleurs vivement colorées.

Le texte

1. Relevez toutes les images d'ordre biologique et naturel que le poète emploie pour exhorter son peuple à redevenir lui-même.
2. Relevez tous les termes et images qui, par opposition, s'appliquent à la situation coloniale et à son acceptation résignée.
3. Quelle est donc, d'après ce texte, la grande préoccupation du poète?
4. Pense-t-il que la libération de son peuple sera facile?

Négritude

Ceux qui n'ont inventé ni la poudre ni la boussole
Ceux qui n'ont jamais su dompter la vapeur ni l'électricité
Ceux qui n'ont exploré ni les mers ni le ciel
Mais ils savent en ses moindres recoins le pays de souffrance
Ceux qui n'ont connu de voyages que de déracinements
Ceux qui se sont assoupis aux agenouillements
Ceux qu'on domestiqua et christianisa
Ceux qu'on inocula d'*abâtardissement*
tam-tams de mains vides
tam-tams *inanes* de plaies sonores
tam-tams *burlesques* de trahison *tabide*

Tiède petit matin de chaleurs et de peurs ancestrales
par-dessus bord mes richesses *pérégrines*
par-dessus bord mes faussetés authentiques.

Mais quel étrange orgueil tout soudain m'illumine?

....

Eïa pour le Kailcédrat royal !
Eïa pour ceux qui n'ont jamais rien inventé,
pour ceux qui n'ont jamais rien exploré,
pour ceux qui n'ont jamais rien dompté.
Mais ils s'abandonnent, saisis, à l'essence de toute chose,
ignorants des surfaces, mais saisis par le mouvement de toute chose
Insoucieux de dompter, mais jouant le jeu du monde.
Véritablement les fils aînés du monde...
... Chair de la chair du monde
Palpitant du mouvement même du monde !

Cahier d'un retour au pays natal, Présence Africaine, 1956.

Les mots

abâtardissement : dégénérescence, altération. (Et cette dégénérescence leur a été communiquée, imposée.)
inanes : inutiles, vains (adjectif peu usité). Le nom commun inanité désigne l'état de ce qui est vain, inutile.
burlesque : qui est d'un comique outré, grotesque, comme une farce.
tabide (adjectif peu usité) : maladif, corrompu.
pérégrin : voyageur; *pérégrination :* voyage, en particulier dans les pays étrangers, lointains.

Le texte

1. Pour le poète, les noirs sont-ils responsables de leur retard scientifique et technique? A quoi est-il dû?
2. N'ont-ils pas d'autres valeurs dont ils peuvent légitimement s'enorgueillir et enrichir le monde?
3. Ce poème ne pourrait-il pas s'intituler : Hymne à la Négritude? Pourquoi?
4. Connaissez-vous d'autres auteurs qui partagent ce point de vue sur *Ce que l'homme noir apporte?*

Prière virile

Et voici au bout de ce petit matin ma prière *virile*
que je n'entende ni les rires, ni les cris, les yeux
fixés sur cette ville que je prophétise, belle,
donnez-moi la foi sauvage du sorcier
donnez à mes mains puissance de modeler
donnez à mon âme la trempe de l'épée.
Je ne me dérobe point.
Faites de ma tête une *tête de proue*
et de moi-même, mon cœur, ne faites ni un père,
ni un frère,
ni un fils, mais le père, mais le frère, mais le fils,
ni un mari, mais l'amant de cet unique peuple.

Faites-moi rebelle à toute vanité, mais docile à son génie
comme le poing à l'allongée du bras !
Faites-moi *commissaire* de son sang.
Faites-moi dépositaire de son ressentiment
faites de moi un homme de terminaison
faites de moi un homme d'initiation
faites de moi un homme de recueillement
mais faites aussi de moi un homme d'ensemencement.
Faites de moi l'exécuteur de ces œuvres hautes.
Voici le temps de se ceindre les reins comme un vaillant homme.

Mais les faisant, mon cœur, préservez-moi de toute haine
Ne faites point de moi cet homme de haine
pour qui je n'ai que haine.
Car pour me cantonner en cette unique race,
Vous savez pourtant mon amour tyrannique,
Vous savez que ce n'est point par haine des autres races
que je m'exige bêcheur de cette unique race,
que ce que je veux
c'est pour la faim universelle
pour la soif universelle.
La *sommer* libre enfin
de produire de son intimité close
la succulence des fruits.

Cahier d'un retour au pays natal, Présence Africaine, 1939.

Les mots

viril : caractéristique de l'homme - ce qui est fort, vaillant.
tête de proue : du temps de la marine à voiles, on sculptait souvent, à l'avant du navire ou proue, une tête qui était censée le diriger.
commissaire : gardien.
sommer : avertir avec menaces.

Le texte

1. En quoi cette prière paraît-elle virile?
2. Quelles sont *ces œuvres hautes* que le poète se propose d'exécuter?
3. Césaire adopte-t-il une attitude raciste? Quel est son but final?

La main tendue de l'Afrique

Je vois l'Afrique multiple et une
verticale dans la tumultueuse *péripétie*
avec ses bourrelets, ses *nodules*,
un peu à part, mais à portée
du siècle, comme un cœur de réserve.

Et je redis : Hoo mère !
et je lève ma force
inclinant ma face.
Oh ma terre !
que je me l'émiette doucement entre pouce et index
que je m'en frotte la poitrine, le bras,
le bras gauche,
que je m'en caresse le bras droit.

Hoo ma terre est bonne,
ta voix aussi est bonne
avec cet apaisement que donne
un lever de soleil !

... Vois : l'Afrique n'est plus
au diamant du malheur
un noir cœur qui se strie ;

Notre Afrique est une main hors du *ceste*
c'est une main droite, la paume devant
et les doigts bien serrés ;
C'est une main *tuméfiée*
une - blessée - main - ouverte,
tendue,
- brunes, jaunes, blanches -
à toutes mains, à toutes les mains blessées
du monde.

Extrait de *Pour saluer le Tiers Monde, Ferrements,* le Seuil, 1960.

Les mots

péripétie : événement imprévu, changement subit.
nodules : petits nœuds, noyaux.
un noir cœur qui se strie : jusqu'ici l'Afrique s'est déchiré le cœur à un malheur dur comme le diamant qui raye (strie) tous les corps durs, par exemple le verre, et ne peut lui-même être rayé par aucun.
ceste : un gant garni de fer ou de plomb dont se servaient autrefois les lutteurs.
tuméfiée : qui porte des enflures, marques de coups reçus : visage tuméfié.

Le texte

1. Quelle est la tumultueuse péripétie que connaît l'Afrique dans les années 60 où fut publié ce recueil de poèmes?
2. Par quel autre adjectif pourrait-on remplacer : *verticale?*
3. Expliquez l'image : *un peu à part comme un cœur de réserve.*
4. Que représentent les gestes décrits dans la deuxième strophe?

PAUL NIGER

(1917-1962) GUADELOUPE

Né à Basse-Terre en 1917, de son vrai nom : Albert Béville, il choisit le nom du grand fleuve de l'Ouest africain comme nom de plume, peut-être parce que son premier poème : Je n'aime pas l'Afrique... *est daté de Bamako - octobre 1944.*

Après ses études secondaires au Lycée de Basse-Terre, il fut admis sur concours à l'École coloniale qui formait à Paris les administrateurs de la France d'Outre-Mer. Il s'y lia d'amitié avec son compatriote Guy Tirolien. Nés la même année, ils suivirent pendant une quinzaine d'années des itinéraires parallèles.

« Héritiers spirituels d'Étienne Léro, Damas et Césaire, ils firent partie de l'équipe de la revue Présence Africaine, *qui, autour d'Alioune Diop, discutait de problèmes nègres et rêvait d'Afrique à Paris pendant la guerre.*

« Mais nous rêvions à une Négritude irréelle », avouera Niger qui allait bientôt confronter ses rêves avec la réalité.

En effet, dès la Libération, il partait en Afrique, ainsi que Tirolien, comme administrateur de la France d'Outre-Mer. Mais dans un autre esprit que celui des Antillais de jadis qui se conduisaient en Afrique « comme des Blancs »

(L. Kesteloot).

Paul Niger fit sa carrière au Soudan, puis au Dahomey avant de mourir prématurément en 1962 dans un accident de l'avion qui le ramenait aux Antilles.

Principales œuvres :

Initiation (poèmes), Paris, Seghers, 1944.
Les Puissants (roman), Paris, 1959.
Les grenouilles du Mont-Kimbo (roman), Éditions du Scorpion, 1959.

Je n'aime pas l'Afrique...

... Moi, je n'aime pas cette Afrique-là.
... *L'Afrique des yes men et des béni-oui-oui,*
L'Afrique des hommes couchés attendant comme une grâce
le réveil de la botte...
L'Afrique...
de la dysenterie, de la peste, de la fièvre jaune et des chiques
(pour ne pas dire de la chicotte)
L'Afrique de « *l'Homme du Niger* », l'Afrique
des plaines désolées
labourées d'un soleil *homicide*...

Je n'aime pas cette Afrique-là.
....

L'Afrique va parler
Car c'est à elle maintenant d'exiger :
« J'ai voulu une terre où les hommes soient hommes
        et non loups
        et non brebis
        et non serpents
        et non caméléons.
J'ai voulu une terre où la terre soit terre,
où la semence soit semence,
où la moisson soit faite avec la faux de l'âme,
une terre de Rédemption et non de Pénitence,
une terre d'Afrique.
Des siècles de souffrances ont aiguisé ma langue.
J'ai appris à compter en gouttes de mon sang
et je reprends les dits des généreux prophètes.
Je veux que sur mon sol de tiges vertes,
l'homme droit porte enfin la gravité du ciel. »
....

Allons, la nuit déjà achève sa cadence,
J'entends chanter la sève au cœur du flamboyant...

Initiation, Éditions Seghers.

Les mots

l'Afrique des yes men et des béni-oui-oui : ceux qui disent toujours oui en anglais ou en français, c'est-à-dire : les soumis, les lâches ou les inconscients.

l'Homme du Niger : objet d'étude pour les ethnologues étrangers comme s'il s'agissait d'une espèce observée par des naturalistes.
homicide : qui tue l'homme, meurtrier.

⟵

Le texte

Comme toute doctrine, celle de la négritude a suscité bien des discussions, des controverses entre ses partisans et ses détracteurs. Comme tous les mots très généreux et passablement abstraits, appelés concepts, il se prête à des interprétations variées ou même divergentes.
La négritude est-elle l'exaltation de tout ce qui est noir et, spécialement, africain, ou seulement des valeurs positives du monde noir?

1. Quelle est l'attitude adoptée par Paul Niger?
Quels aspects de l'Afrique récuse-t-il?

2. Quel visage de l'Afrique choisit-il?

3. Se dégage-t-il de ce poème une certaine violence? Est-il cependant un poème d'espoir?
(Les réponses ne doivent pas être simplement affirmatives ou négatives, mais toujours étayées, justifiées par des extraits du texte.)

GUY TIROLIEN

(né en 1917) GUADELOUPE

Né à Pointe-à-Pitre d'une famille modeste et nombreuse, il fit ses études secondaires au Lycée de cette ville, puis alla à Paris préparer au Lycée Louis-le-Grand le concours d'entrée à l'École Coloniale, auquel il réussit brillamment.

Mobilisé en 1939, il se retrouva en 1940 prisonnier en Allemagne dans le même camp que L. S. Senghor auquel il s'était déjà lié d'amitié à Paris dans le groupe d'intellectuels afro-antillais d'où sortirait, en décembre 1947, le premier numéro de la revue Présence Africaine *dirigée par Alioune Diop.*

Nous avons vu l'itinéraire parallèle des deux compatriotes et amis : Paul Niger - Guy Tirolien. En 1944, le premier fut nommé administrateur de la France d'Outre-Mer au Soudan puis au Dahomey, tandis que le second était nommé au Cameroun puis au Soudan. La rencontre fervente de l'Afrique ouvrait pour l'un et pour l'autre la source de la poésie.

Guy Tirolien vient de passer cinq ans au Mali comme représentant permanent du Programme des Nations Unies pour le développement (P.N.U.D.). Il occupe actuellement ce même poste au Gabon.

Sa poésie volontairement simple, populaire, a beaucoup de charme, sans exclure la force. Elle a l'avantage d'être très tôt accessible à nos élèves.

Recueil de poèmes : *Balles d'or,* Présence Africaine (4e trimestre 1961).

Iles

Voici la maison basse,
où ma race a poussé.
D'un tour de reins, la route
redresse son élan.
Ira-t-elle jusqu'aux eaux lasses
sous les manguiers là-bas?
Odeurs de terre brûlée et de morue salée
coulant sous le museau de la soif.
Sourire plissant l'*icaque* mûre
d'un vieux visage.
Prière indécise des fumées.
Souffrance d'un long hennissement
Grimpant la pente des ravines.
Voix de rhum
réchauffant de leur haleine
mes oreilles.
Dominos mitraillant le repos des oiseaux.

Rythmes de *calypsos*
Au ventre chaud de nos *banjos*.
Rire du désir dans les *viscères* de la nuit.
Bouches privées de pain
Buvant l'alcool mauvais
des mots.

L'île pousse vers demain
Sa cargaison d'humanité.

Balles d'or, Présence Africaine, 1961.

Les mots

icaque : fruit comestible de l'icaquier (arbrisseau américain).
calypsos : danses antillaises.
banjos : sorte de guitare ronde, importée par les noirs d'Amérique et dont la partie supérieure de la caisse est constituée par une peau tendue.
viscères : organes enfermés dans les cavités du corps, tels que les poumons, le cœur, les intestins...

Le texte

1. Relevez les images par lesquelles le poète nous donne à voir, à sentir, à comprendre ses Antilles natales.
2. Les images ne **parlent-elles** pas mieux qu'un long discours pour décrire ces îles : leur physionomie, leurs habitants et leurs problèmes?
3. Essayez de composer une description imagée de votre village, de votre quartier, de votre école ou du marché.

Prière d'un petit enfant nègre (1)

Seigneur, je suis très fatigué.
Je suis né fatigué.
Et j'ai beaucoup marché depuis le chant du coq
Et le *morne* est bien haut qui mène à leur école,
Seigneur, je ne veux plus aller à leur école,
Faites, je vous en prie, que je n'y aille plus.
Je veux suivre mon père dans les ravines fraîches
Quand la nuit flotte encore dans le mystère des bois
Où glissent les esprits que l'aube vient chasser.
Je veux aller pieds nus par les rouges sentiers
Que cuisent les flammes de midi,
Je veux dormir ma sieste au pied des lourds manguiers,
Je veux me réveiller
Lorsque, là-bas, mugit la sirène des blancs
Et que l'Usine,
Sur l'océan des cannes
Comme un bateau *ancré*,
Vomit dans la campagne son équipage nègre...
Seigneur, je ne veux plus aller à leur école,
Faites, je vous en prie, que je n'y aille plus.
Ils racontent qu'il faut qu'un petit nègre y aille
Pour qu'il devienne pareil
Aux messieurs de la ville
Aux messieurs comme il faut.
Mais moi je ne veux pas
Devenir, comme ils disent,
Un monsieur de la ville
Un monsieur comme il faut.

Les mots

morne : petite montagne isolée dans les Antilles (nom d'origine espagnole).
ancré : arrêté, fixé par une *ancre :* lourde pièce de métal suspendue à une chaîne qu'on jette au fond de l'eau pour immobiliser un navire.

Le texte

1. Le petit enfant nègre aime-t-il l'école instituée par les blancs?
2. Que préférerait-il faire?
3. De quelle usine s'agit-il? Pourquoi le poète écrit-il ce nom avec une majuscule?
4. L'école doit-elle servir seulement à devenir *un monsieur de la ville, un monsieur comme il faut?*

Prière d'un petit enfant nègre (2)

Je préfère flâner le long des sucreries
Où sont les sacs repus
Que gonfle un sucre brun autant que ma peau brune.
Je préfère vers l'heure où la lune amoureuse
Parle bas à l'oreille des cocotiers penchés
Écouter ce que dit dans la nuit
La voix cassée d'un vieux qui raconte en fumant
Les histoires de Zamba et de compère Lapin
Et bien d'autres choses encore
Qui ne sont pas dans les livres.
Les nègres, vous le savez, n'ont que trop travaillé.
Pourquoi faut-il de plus apprendre dans des livres
Qui nous parlent de choses qui ne sont point d'ici?
Et puis elle est vraiment trop triste, leur école,
Triste comme
Ces messieurs de la ville,
Ces messieurs comme il faut,
Qui ne savent plus danser le soir au clair de lune,
Qui ne savent plus marcher sur la chair de leurs pieds,
Qui ne savent plus conter les contes aux veillées.
Seigneur, je ne veux plus aller à leur école.

Balles d'or, Présence Africaine, Paris, 1961.

Le texte

1. Pourquoi le poète a-t-il choisi cette image de *sacs repus?*
2. Les histoires de Zamba et de compère Lapin ne figurent-elles pas aussi dans les livres? Sont-elles aussi savoureuses que celles des veillées?
3. Quel est en définitive le principal reproche du petit enfant nègre à l'égard de l'école? L'école ne peut-elle être différente? Qu'en pensez-vous?

La trompette de Satchmo [1]

Ne fermez pas l'oreille
aux rires, aux soupirs,
aux délires,
aux éclats, aux oua-oua,
à la joie,
qui se bousculent -
ha ha !
qui s'accumulent -
j'te crois
dans la trompette de Satchmo
Sourires des bébés noirs
éclairant la nuit
noire
d'Alabama,
d'Oklahoma,
des Bahamas.
Rire du peuple noir
roulant dans les rues
noires
de Frisco,
de Chicago,
de Santiago.
Non
ne fermez pas l'oreille
aux rires, aux soupirs,
aux délires,
aux éclats, aux oua-oua,
à la joie,
qui se bousculent -
ha ha !
qui s'accumulent -
j'te crois
dans la trompette de Satchmo.

Balles d'or, Présence Africaine, 1961.

1. Satchmo est le diminutif familier donné au célèbre trompettiste de jazz : Louis Armstrong, dont Guy Tirolien a été un fervent admirateur et ami.

Le texte

1. Le poète s'est amusé ici, dans un plaidoyer plein d'humour en faveur de la musique de son ami, à restituer le rythme, les éclats, les dissonances de la fameuse trompette. Montrez par quels procédés il s'y est employé.
2. Qu'évoque la trompette de Satchmo?
3. Quel est le célèbre poète noir américain qui, le premier, a essayé cette transcription de la musique de jazz en poésie?

Quand je t'ai abordé...

... Quand je t'ai abordé, Afrique,
je me suis plongé nu dans la confiance neuve
de tes matins
à l'heure où la brousse sortait de son sommeil,
où sur les flots feuillus des savanes bruissantes
circulaient les échos du secret redoutable
porté sur l'aile des harmattans :
debout ! debout ! un jour nouveau s'annonce !
Je me suis levé tôt pour saluer l'aurore.
Mes ablutions faites et mon pagne noué,
dispos pour les travaux et les luttes du jour,
J'ai suivi mes aînés dans les lougans en friche.
J'ai cultivé, vois-tu, mon petit coin de terre,
car tu le sais,
dans les greniers communs,
j'ai pris soin de porter les épis de mon mil.

Et me voilà planté au carrefour de tes doutes,
Afrique,
Comme le fétiche debout à l'entrée du village.
Mon oreille collée sur ton ventre tendu,
J'interroge les Dieux.
Et scrutant le langage ambigu des cauris,
je cherche à discerner sous les rumeurs contraires
le sûr cheminement
de ton destin.

Balles d'or, Présence Africaine, 1961.

Le texte

1. Qu'a fait le poète antillais en abordant l'Afrique pour la première fois?
2. Montrez par le texte qu'il a adopté une attitude de confiance, d'humilité, de disponibilité. Avait-il quelque mérite à se comporter ainsi? Mais n'a-t-il pas choisi le moyen le plus sage, le plus sûr de connaître ce qui était nouveau pour lui?
3. Qu'est-ce qu'un *langage ambigu?* Le langage des *cauris* est-il clair ou demande-t-il d'être interprété par les devins?
4. Est-ce facile de discerner le destin de l'Afrique? Pourquoi?

Ghetto

Pourquoi m'enfermerai-je
dans cette image de moi
qu'ils voudraient *pétrifier?*
pitié, je dis pitié !
j'étouffe dans le ghetto de l'exotisme...

Si je pousse le cri
qui me brûle la gorge
c'est que mon ventre bout
de la faim de mes frères.

Et si parfois je hurle ma souffrance
c'est que j'ai l'orteil pris
sous la botte des autres.

Le rossignol chante sur plusieurs notes,
finies mes complaintes *monocordes !*
....
Oui, j'exalterai l'homme
tous les hommes
j'irai à eux
le cœur plein de chansons
les mains lourdes
d'amitié
car ils sont faits à mon image.

Balles d'or, Présence Africaine, 1961.

Les mots

ghetto : mot italien qui désignait le quartier d'une ville où les juifs étaient obligés de résider n'ayant pas le droit de s'installer à leur guise. Au sens large, tout endroit, toute situation où l'on est enfermé pour des raisons raciales : les ghettos noirs dans les villes américaines.
pétrifier : figer comme une pierre.
monocordes : complaintes jouées sur une seule corde, donc sans diversité, monotones.

Le texte

1. Pourquoi le poète traite-t-il l'exotisme de ghetto?
2. Le poète accepte-t-il de chanter seulement la beauté des Antilles et de l'Afrique, ce que l'on appelle *la couleur locale?*
3. Quelles sont ses préoccupations les plus importantes, les plus urgentes?
4. Quelle est la vocation du poète?

Poètes Africains

POÈME TRADITIONNEL ANONYME

Le chant du feu

Feu, Feu, Feu du foyer d'en bas, Feu du foyer d'en haut,
Lumière qui brille dans la lune, lumière qui brille dans le soleil,
Étoile qui étincelle la nuit,
Étoile qui fend la lumière, étoile filante,
Esprit du tonnerre, œil brillant de la tempête,
Feu du soleil qui nous donne la lumière,
Je t'appelle pour l'*expiation*, feu, feu.
Feu qui passes et tout meurt derrière tes traces,
Feu qui passes et tout vit derrière toi,
Les arbres sont brûlés, cendres et cendres,
Les herbes ont grandi, les herbes ont fructifié.
Feu ami des hommes, je t'appelle, feu pour l'expiation.
Feu, je t'appelle, feu protecteur du foyer,
Tu passes, ils sont vaincus, nul ne te surpasse,
Feu du foyer, je t'appelle pour l'expiation.

Traduction de Blaise Cendrars,
Anthologie nègre, Denoël.

Les mots

expiation : épreuve, peine par laquelle on se purifie d'une faute. Notion religieuse du rachat d'un péché par une souffrance, un châtiment.

Le texte

1. Le feu joue-t-il un rôle si important dans la vie des hommes qu'il mérite d'être invoqué ? Quelles fonctions remplit-il ?
2. Connaissez-vous des chants consacrés à d'autres puissances naturelles (eau - vent - terre - tonnerre) ?

CHANT TRADITIONNEL DOGON

Chant au défunt

Hé ! Défunt ! Viens écouter nos voix, car nos voix parlent.
Toi, maintenant, homme de silence, tu es devenu homme aux oreilles du monde. Homme qui écoutes, qui vois, toi, homme seul. Nous, nous avons amené ici un troupeau de chevaux, un troupeau de captifs, un troupeau de vaches.
Toi, Homme maintenant de silence, devenu homme aux oreilles du monde. Défunt, écoute et vois tout cela que nous avons amené : chevaux, captifs, vaches, vois cela.

Salut à la veuve. Salut de nous, hommes du village, frères du défunt. Salut à toi, Veuve, car le propriétaire s'est absenté de la maison.

Excusez-nous, les vieux, vous les premiers fondateurs du village, vous qui reposez dans la terre, nous descendons de vous, sans vous que serions-nous ? Rien. Excusez-nous, les vieux, car nous ne voulons pas marcher sur vous.

Extrait du disque : *Les Dogons*
(Collection : Disques de Folklore africain).
Office de Coopération radiophonique, Paris.

Le texte

1. Le défunt, devenu homme de silence, est-il pour autant totalement coupé du monde ? Que signifie l'expression : *homme aux oreilles du monde ?*
2. Qu'offre-t-on au défunt ? Pourquoi ?
3. L'expression : *Le propriétaire s'est absenté de la maison,* vous paraît-elle signifier ce que représente la mort pour les Dogons ?
4. Pourquoi les vivants éprouvent-ils le besoin de s'excuser auprès de leurs ancêtres ?

FILY DABO SISSOKO

(1900-1964) MALI

Né à Horokoto (Cercle de Bafoulabé, Mali), Sissoko fut longtemps instituteur dans divers postes d'A.O.F. où il commença à écrire, encouragé et conseillé par un administrateur : Ferdinand Froger, envers qui il a dit sa reconnaissance dans la Savane rouge.

Leader du Parti Progressiste Soudanais, ce fut un homme politique important entre 1945 et 1958. Il fut député à l'Assemblée Nationale Française et, dans la Fédération du Mali, conseiller culturel à Dakar.

Emprisonné en 1962 avec un autre député : Hamadoun Dicko, comme opposants au régime de Modibo Keïta, ils moururent tous deux dans des circonstances assez mystérieuses au pénitencier de Kidal en 1964.

Principales œuvres :

Crayons et Portraits (sans lieu ni date).
La Savane rouge, Presses universelles, Avignon, 1962, dont nous avons extrait les morceaux ci-contre, véritables poèmes en prose (c'est-à-dire prose poétique descriptive ou lyrique).
Poèmes de l'Afrique Noire Éditions Debresse, 1963.

Le soleil noir

Le soleil noir qu'amènent les orages de fin de saison, frappe au cœur les gros arbres, à travers les *halliers*.

Sans répit, il les accable de traits, qui lacèrent leur écorce, couverte de plaques grises d'où *s'exsude* une sève brune, lente à sécher, que viennent avec délice *siroter* les cigales, happées elles-mêmes, au passage, par un varan en course.

Au même moment, les graminées jaunissent.

Les feuilles des « *wolos* » et celles des vênes blanchissent.

Le « *difolo* » s'installe avec ses brumes matinales, et les soirs, perceptibles au son, passent en vibrant des vols d'abeilles.

C'est le *prélude* des feux de brousse, du retrait des eaux, rendant les gués accessibles.

La Savane rouge, Presses universelles, Avignon, 1962.

Les mots

hallier : ensemble de buissons touffus (ce nom est d'origine germanique).
exsuder : sortir à la manière de la sueur sortant de la peau (la sudation).
siroter : terme d'argot qui est passé dans le langage courant et qui signifie : déguster quelque chose de doux comme un sirop.
wolos : nom bambara d'une espèce d'arbre de la savane.
difolo : nom bambara donné au brouillard.
prélude : commencement de quelque chose, ce qu'on chante, ce qu'on joue pour essayer sa voix ou son instrument. Ici, début des feux de brousse.

Le texte

1. Quelle est la période de l'année précisément décrite ici ?
2. Exercez-vous ensemble à décrire avec les mêmes nuances telle ou telle autre époque de l'année.

La lune dans le néant

La lune, en fin de course, sombre dans le néant.
C'est une courte période de deux ou trois nuits.
Mais alors, les chiens, tous poils hérissés, hurlent à la mort.

Les gros oiseaux, aigles, vautours et calaos, restent au nid, le dos tourné aux *effluves délétères* qui montent de l'Orient.

Sur les sentiers, les cobras deviennent hargneux.
Malheur aux enfants - filles ou garçons, conçus ces nuits-là !

Car à tout jamais, *le fruit défendu* leur restera interdit.

La Savane rouge, Presses universelles, Avignon, 1962.

Les mots

effluves délétères : émanations nuisibles, insalubres.
le fruit défendu : le poète ne précise pas quel est ce fruit défendu : connaissance, amour, jouissance des biens matériels... La croyance populaire veut que les enfants nés en fin de lunaison aient moins de chance que les autres. Nous identifions là une croyance liée au cycle cosmique.

Le retour des pêcheurs

Le retour des pêcheurs de Guet-N'Dar a été mille fois décrit.
En effet, c'est un spectacle dont on ne se lasse jamais.
Une à une, les voiles blanches apparaissent à l'horizon.
La brise les pousse lentement et les aligne comme pour une course.

De loin, elles semblent vides, se dirigeant toutes seules.
Mais peu à peu, elles grandissent à vue d'œil, se cognent
 et se bousculent, livrées au roulis, d'ailleurs léger.
Et des hommes, tout noirs, le torse nu, les yeux injectés,
 apparaissent, maniant les voiles avec une *dextérité* consommée,
 et aidés par des adolescents visiblement fatigués.

Les pirogues crissent sur le sable, s'immobilisent, le nez
 hors de l'eau, alors que les voiles sont repliées.
La pêche, comme toujours, est abondante.

La Savane rouge, Presses universelles, Avignon, 1962.

Les mots

dextérité : adresse, agilité des mains.
Les textes de F.D. Sissoko ne comportant pas de difficultés de compréhension, un questionnaire nous paraît inutile. Il vaut mieux s'essayer à des textes d'imitation sur des thèmes voisins de ceux que l'auteur traite avec tant de simplicité et de poésie.

AMADOU HAMPATÉ BA

(né en 1901) MALI

Né en 1901 à Bandiagara, ancien employé de l'I.F.A.N., autodidacte, il s'est imposé dans le domaine de la littérature traditionnelle qu'il sait patiemment collecter, traduire et en quelque sorte recréer, sauvant ainsi de l'oubli un patrimoine inestimable.

Ses œuvres les plus attachantes sont Koumen *et* Kaïdara, *récits initiatiques des pasteurs peuls. La poésie et la mystique s'y harmonisent parfaitement.*

AMADOU HAMPATÉ BA *travaille en collaboration avec des historiens, des sociologues.*

avec MARCEL CARDAIRE : Tierno Bokar, Le Sage de Bandiagara, *Prés. Africaine, 1957.*

avec J. DAGET : L'Empire peul du Macina, *Mouton et Cie, 1961.*

avec G. DIETERLEN : Koumen - *Texte initiatique Peul, Mouton et Cie, 1961.*

avec L. KESTELOOT : Kaïdara - *Récit initiatique peul, Julliard.*

Silamaka, Ardo du Macina

Lecture suivie et commentée.

Le héros de cet épisode est Silamaka, ardo, c'est-à-dire chef peul du Macina en révolte contre le suzerain bambara : Da Monzon, roi de Ségou.

Le maître mettra en valeur le fait que l'Afrique possède ses propres épopées ; l'épopée étant le chant d'un haut fait historique grandi, embelli par l'imagination populaire : « l'histoire écoutée aux portes de la légende », selon la célèbre définition qu'en donna Victor Hugo.

Il pourra utilement enrichir cette lecture par des lectures complémentaires d'extraits d'épopées européennes, par exemple, de La Chanson de Roland, *de* La Légende des siècles, *et négro-africaines :* Soundiata - Chaka...

Da Monzon fit battre son tambour de guerre,
il envoya mille chevaux contre Kekei.
Silamaka demanda : « Combien sont-ils ? »
Les griots se mirent à chanter ses louanges :
Da Monzon a envoyé maints chevaux,
Silamaka, tu es garba mâma[1]

Ségou a traversé le fleuve
avec ses grands chevaux agiles
et ils ont noirci la brousse de leur nombre.
Nous demandons à Dieu de veiller sur Kekei durant la nuit,
pendant le jour, on l'en décharge et l'on s'en charge.

....

Quand les chevaux de Ségou arrivèrent
à l'endroit où ils pouvaient charger l'ennemi
Silamaka et Poulorou[2] sortirent du village
et foncèrent sur la cavalerie de Ségou
qui fut prise de panique avant même
que les Peuls ne les aient rejoints.
L'ardo et le fils de Baba en occirent
un grand nombre et les chassèrent jusqu'à Diaka
les deux guerriers revinrent à Kekei
les Bambaras rentrèrent à Ségou en lambeaux.

1. Le victorieux, celui pour qui on joue cet air de musique réservé à la célébration de la victoire.
2. Ami de Silamaka, fils de son captif Baba.

Da Monzon leva trente-cinq groupes de combat
Chacun était composé de cent cavaliers,
il les lança sur Kekei avec une telle violence
que la nouvelle y parvint avant les chevaux
que Ségou avait cette fois envoyé une armée
qui portait ses mortiers sur son dos[1].
Silamaka fit battre le toubal
il réunit ses cinq unités de combat,
chaque groupe était composé de cent hommes,
tous étaient du même âge que Silamaka.

Lorsqu'il les divisa, il lut une inquiétude
sur le visage de ses camarades.
Il dit : « Quand quelqu'un a préparé une mauvaise bouillie
il est juste qu'il en prenne la première calebassée.
Comme c'est moi qui ai apprêté ce plat-ci,
attendez-moi, que je voie quel en est le goût. »

Avec Poulorou, il fonça sur les Bambaras,
il fut comme un lion dans un troupeau de chèvres,
il les mit en fuite et en tua beaucoup.
Ils rentrèrent à Ségou et Silamaka au Macina.

Mais couché sur son lit, le Peul se prit à réfléchir
sur le grand nombre d'hommes qu'il avait fait périr
et se mit à douter des conséquences de ses actes.
Le lendemain matin, il appela un devin
et lui dit : « Regarde quelle va être ma fin. »
Le voyant vit sur son thème géomantique[2]
la mort très prochaine de Silamaka,
mais il lui dit d'abord : « Silamaka, j'ai vu
les Macinanké en fuite et tu les conduisais. »
Le Peul décocha un coup de pied au magicien :
« Charlatan, tu n'as vu que mensonge ! »
Le devin lui répondit : « Puisque tu n'as pas peur,
C'est vrai que j'ai vu fuir le Macina
mais c'était en enjambant ton cadavre. »

Silamaka dit : « Maintenant, tu dis la vérité,
car tu ne verras jamais, au grand jamais,
le Macina en fuite et moi en tête,
il est possible que la révolte du Macina
ne cesse que lorsque j'aurai cessé de vivre,
mais il ne sera pas dit que Silamaka
aura conduit ses hommes dans la déroute. »

Cité par L. KESTELOOT, *Anthologie négro-africaine* Marabout-Université, 1967.

1. C'est-à-dire, décidés à mourir puisqu'ils ont amené leurs ustensiles.
2. Divination qui s'opère à l'aide de terre jetée au hasard et en étudiant les figures ainsi formées.

Kaïdara

Lecture suivie et commentée.

« La vie et la mort mises en nous demeurent.
Torse contre torse, elles s'y trouvent, elles y luttent
Comme l'eau contre la terre, elles y luttent sans répit.
Chaque victoire gagnée sur la droite
sur la gauche est défaite.
Tout gain acquis à l'Est,
à l'Ouest devient perte.
Notre faim de connaître
est un feu toujours ardent.
Le vent de ton savoir
souffle et l'attise davantage.
Nous-mêmes que voici, avons déjà prié ;
à l'heure de la prière, nous l'avons accomplie.
Et nous avons versé à l'endroit prescrit
le lait nourricier, le lait intercesseur.
Nous avons payé la dîme du beurre, nous l'avons acquittée.
Nous sortons d'une goutte minuscule
tombée en pluie-merveille
dans un creux fertile, voilé et caché.
Nous sommes destinés à pourrir décomposés.
Nous sommes destinés à sentir mauvais.
Nous suivons le cycle du retour.
Nous sommes des créatures créées.
Nous sommes des créés créateurs.
Nous n'avons pas faibli sur la route :
La paix est notre souhait.
Nous dirigeons nos pas vers le royaume de *Kaïdara;*
Kaïdara le lointain, Kaïdara le bien proche... »
Alors toute la vallée ainsi répondit :
- « Il récompensera vos œuvres, il ne frustrera personne !
Allez à Kaïdara le lointain, Kaïdara le bien proche. »

Cité par L. KESTELOOT.
Extrait de *Kaïdara* (Récit Initiatique Peul).
Rapporté par AMADOU HAMPATÉ BA, Classiques Africains, Julliard.

←

Les mots

Kaïdara : l'initiateur, celui qui seul possède et peut révéler la connaissance, *rayon émané du foyer qu'est Guéno* (Dieu).
Il est le *lointain et bien proche* à la fois, car on croit le comprendre aisément alors qu'il est inépuisable. Ce n'est pas un hasard si, à la fin du long récit, Kaïdara recule de trois pas, dès que l'homme qu'il vient d'initier veut l'étreindre dans un mouvement de joie : ne faut-il pas que demeurent toujours la distance et le voile qui séparent le maître de l'élève, le dieu de l'homme et le savoir de ses approches imparfaites?

Le texte

Dans ce passage du récit initiatique, l'aspirant à l'initiation énonce sous forme imagée la loi qui régit l'univers, celle d'un dualisme fondamental : en l'homme luttent la mort et la vie, le bien et le mal, qui tous viennent de Guéno (le Créateur - le Tout-Puissant). De même, toute chose a son aspect positif (diurne) et son aspect négatif (nocturne) ; la rivalité de la gauche et de la droite, des points cardinaux opposés est du même ordre; ainsi que celle des sexes, du jour et de la nuit, etc.

Nous avons faim de savoir; la connaissance se mérite; aussi avons-nous prié, accompli les rites, payé la dîme pour la mériter. L'homme, semence tombée au creux du corps féminin (*creux fertile, voilé et caché*), va à la mort, retourne à la terre mère. Mais, créature, il est aussi créateur par le pouvoir de son intelligence.

L'aspirant à l'initiation conclut au nom de ses camarades : *Nous n'avons pas faibli sur la route,* c'est-à-dire, nous avons supporté toutes les épreuves et sommes prêts à continuer jusqu'à ce que nous atteignions la sagesse.

L'écho de la vallée répond qu'ils ne seront pas déçus.

Nous avons là un bel exemple de la philosophie de la vie inculquée aux adolescents durant la retraite d'initiation. Le caractère imagé et symbolique, loin d'en cacher la profondeur, la laisse peut-être mieux pressentir qu'un discours philosophique abstrait.

MASSA MAKAN DIABATÉ

(né en 1938) MALI

Né le 12 juin 1938, à Kita, au cœur du Manding, Massa Makan Diabaté a fait ses études au Lycée classique de Conakry, puis en France où il a obtenu la licence de Sociologie, et un Diplôme de Sciences Politiques.

Sa vocation d'écrivain, tournée jusqu'à présent vers la transcription et la re-création des traditions orales du Mali, s'affirme dans les publications ci-après :

Principales œuvres :

Si le feu s'éteignait, recueil de contes, Éditions Populaires du Mali.
Kala Jata, l'épopée de Soundiata, Éditions Populaires du Mali.
La dispersion des Mandekas, essai ethno-sociologique en collaboration avec Mr Django Cissé, Éditions Populaires du Mali.
Janjon et autres chants populaires du Mali, Présence Africaine.
Une si belle leçon de patience, pièce primée au Concours théâtral radiophonique interafricain, 1970.
Première anthologie de la musique malienne (album de disques).
En préparation : *Horizon bouché* (roman sur les problèmes de la jeunesse).

Chant de Sogolon, mère de Sun Jata[1]

Le bonheur est là ;
Il est venu le bonheur,
Le bonheur triomphe chez moi.

Voyez la belle stature de mon fils :
De la petite graine
Est sorti un fromager ;
Aujourd'hui, femmes du Mandé,
Nare Magan Konate s'est levé.

Notre vestibule est un vestibule de bonheur,
Un bonheur ne passe jamais
Sans entrer chez nous ;
Aujourd'hui, femmes du Mandé,
Nare Magan Konate s'est levé.

....

Battez des mains pour moi,
ô vous femmes !
Ne savez-vous pas combien j'ai souffert ?
Aujourd'hui, femmes !
Nare Magan Konate s'est levé.

....

Tu es l'initié
Qui n'a pas eu peur du fer ;
Ta place est dans la foule,
Tu es l'initié
Qui a affronté le fer sans ciller ;
Ta place est au combat.

Kala Jata, Éditions Populaires du Mali, Bamako.

1. ***Sun Jata :*** orthographié d'après l'alphabet phonétique adopté par le Centre d'Alphabétisation du Mali.

Le texte

1. D'après ce que vous savez de la légende de Sun Jata, à quel moment de sa vie se place ce chant de Sogolon ?
2. A quelles souffrances Sogolon fait-elle allusion dans la 4e strophe ?
3. A qui s'adresse-t-elle dans la dernière strophe ?

Chant à Sun Jata

Étranger à l'aube,
Il a été le soir
Le maître du pays.

Chasseur forcené,
Il est devenu
Un conquérant irréductible.

....

Sun Jata est tel une vieille souche.
Guettez-le, même dans la nuit,
Et il vous guettera.

Oui, gens du Mandé !
Chien de grenier
Ne connaît ni étranger,
Ni autochtone.
Il ne sait que mordre.

Pour longue qu'ait été ta route,
Kala Jata, elle t'a conduit
En un lieu habité.

Désormais, Nare Magan Konate,
C'est à toi qu'appartient le Mandé.

Kala Jata, Éditions Populaires du Mali, Bamako.

Le texte

1. Montrez que les strophes 1 - 2 - 5 et 6 résument bien l'essentiel de l'épopée de Sun Jata.
2. A quelle déclaration de sa mère dans le poème précédent répond la comparaison de Sun Jata à « une vieille souche »?
3. Que signifie ce proverbe malinké : *chien de grenier ne connaît ni étranger, ni autochtone?*

Ode au troupeau

Poème peul anonyme du Foutâ-Djalon.

Mon troupeau se lève, s'en va, ébranle la terre,
Secoue les futaies, détourne les ruisseaux,
Défonce les marais, éclaircit les fourrés.
Devant mes vaches, les antilopes s'enfuient.
Devant mes vaches, les buffles s'enfuient.
Devant mes vaches, les babouins aboient.
Les fauves s'écartent, la misère s'éloigne.
Alexandre le Grand avait de l'or, j'ai des vaches.
Dieu a des richesses, j'ai des vaches.
La falaise a des singes, j'ai des vaches.
La montagne a des sources, j'ai des vaches.
La lande a des biches, j'ai des vaches.
La forêt a des oiseaux, j'ai des vaches.
La savane a des éléphants, j'ai des vaches.

La grâce de Dieu a accru mon bonheur.
La grandeur de Dieu a accru mon prestige.
La faveur de Dieu a accru ma fortune.
L'éternité de Dieu a consolidé ma vie.
Le don de Dieu a accru mon troupeau.

Cité dans : *La Femme, la Vache, la Foi,* Écrivains et poètes du Foutâ-Djalon, par ALFA IBRAHIM SOW, Classiques Africains, Julliard.

Le texte

1. Que représente son troupeau pour le Peul?
2. Savez-vous ce que représente l'élevage dans l'économie du Mali?
3. Connaissez-vous d'autres chants, proverbes, récits qui montrent l'attachement du Peul à son troupeau? Interrogez les Anciens là-dessus. Vous pouvez même organiser un concours du meilleur récit que l'I.P.N. se ferait un plaisir de publier.

TIERNO ABDOURAHMANE BA

(né vers 1917) GUINÉE

Tierno Abdourahmâne Bâ, né vers 1917 à Labé, est fils du grand maître Tierno Alillou Boûba-Ndiang.

Lettré en arabe, il apprit tout seul le français. Tour à tour maître d'école coranique, commerçant, transporteur, il adhéra au P.D.G. (Parti Démocratique de Guinée) en 1957 et devint secrétaire de la mairie de Labé.

On lui doit de nombreux poèmes tant en peul qu'en arabe.

Hymne à la paix et au Fouta-Djalon

... Quand le Foûtanké tend son hamac
Dans la cour sous quelque ombre douce,
Y passe le jour à lire son Coran,
Y mange, ne fût-ce qu'un morceau de manioc,
Au crépuscule rentre ses vaches à l'étable,
C'est le plaisir accompli pour le cultivateur.
Vois un vieux du Foûta qui s'apprête
A partir pour visiter les siens,
Avec son grand boubou de cotonnade, son Coran
En bandoulière et sa longue canne noire,
S'il s'agit d'un lettré, avec des planchettes en bandoulière
Et des livres dans le lourd sac en peau !
Quand le Foûtanké abandonne son pays,
Ne te pose pas de questions ! La souffrance seule le fait émigrer.

....

Les bienfaits dont le Foûta est comblé
Sache qu'on ne peut les compter tous ensemble.
... Ces rivières qui s'écoulent et leurs chutes
Et leurs voix qui se répondent,
Leurs eaux aussi fraîches qu'additionnées de glace,
Sont si pures et si agréables à boire !
Leurs roches sont aussi lisses que polies au ciment.
En saison pluvieuse comme en saison sèche, sans arrêt elles s'écoulent.
Ces arbres fruitiers, leurs fruits sont si doux
Et ne se laissent point compter !

Regarde le Foûta par le soleil printanier ! Alors tu verras
Que nul pays n'est aussi beau que le Foûta.

TIERNO ABDOURAHMANE BA.
Cité par ALFA IBRAHIM SOW dans : *La Femme, la Vache, la Foi*, Classiques Africains, Julliard.

Les mots

La locution adverbiale *en bandoulière* s'applique aux objets qu'on porte en écharpe, de l'épaule à la hanche opposée.
Citez des objets que l'on porte en bandoulière.

Note : Remarque grammaticale sur la construction des comparaisons dans ce poème. L'auteur contracte les termes de la comparaison, c'est-à-dire que plusieurs mots restent sous-entendus.

Les comparaisons complètement exprimées donneraient :
leurs eaux ***aussi*** *fraîches* ***que si elles étaient*** *additionnées de glace*
ou bien : *leurs eaux* ***si*** *fraîches* ***qu'on les croirait*** *additionnées de glace*
et : *leurs roches* ***aussi*** *lisses* ***que si elles étaient*** *polies au ciment*
ou bien : *leurs roches* ***si*** *lisses* ***qu'on les dirait*** *polies au ciment.*

Le texte

1. Combien de parties distinguez-vous dans ce texte ?
2. Analysez chaque partie et donnez-lui un titre particulier qui en résume le contenu.

BIRAGO DIOP

(né en 1906) SÉNÉGAL

Né en 1906 à Ouakam (banlieue de Dakar), Birago Diop fit ses études secondaires à Saint-Louis et commença, dès le lycée, à écrire des poèmes.

Puis il entra à l'École Nationale Vétérinaire de Toulouse où il obtint son diplôme de docteur Vétérinaire.

Il exerça sa profession dans divers postes d'A.O.F. tout en continuant, pour son plaisir et pour le nôtre, à écrire poèmes et contes, dont les célèbres et délicieux Contes d'Amadou Koumba, *le soi-disant griot de sa famille.*

Dans une forme très classique, imitée sans complexe des poètes français du XIXe siècle, et en particulier de V. Hugo et des symbolistes, les poèmes de Birago Diop sont sans doute ceux qui traduisent le mieux les croyances magiques et les rites de l'Afrique animiste.

Depuis l'Indépendance, il appartient à la diplomatie sénégalaise.

Principales œuvres :

Les Contes d'Amadou Koumba, Fasquelles, 1947 et Présence Africaine, 1960.
Les nouveaux Contes d'Amadou Koumba, Présence Africaine, 1960.
Leurres et lueurs : poèmes commencés en 1925, Présence Africaine, 1960.
Contes et Lavanes, Présence Africaine, 1963 (Grand Prix d'Afrique Noire en 1964).

Le chant des rameurs (1)

J'ai demandé souvent
Écoutant la Clameur
D'où venait l'*âpre* chant,
Le doux chant des Rameurs.

Un soir, j'ai demandé aux *jacassants* corbeaux
Où allait l'âpre chant, le doux chant des Bozos,
Ils m'ont dit que le Vent, messager infidèle,
Le déposait tout près dans les rides de l'Eau ;
Mais que l'eau désirant demeurer toujours belle
Efface à chaque instant les replis de sa peau.

J'ai demandé souvent
Écoutant la Clameur
D'où venait l'âpre chant,
Le doux chant des Rameurs.

Les mots

âpre : ici, rude à l'oreille.
jacasser : crier comme une pie ; bavarder, parler en faisant grand bruit ; ex. : les filles jacassent dans la cour.

Le texte

1. N'y a-t-il pas contradiction à qualifier d'âpre et doux le chant des rameurs? Qu'en pensez-vous?

2. A quoi est comparée l'eau?

Le chant des rameurs (2)

Un soir, j'ai demandé aux verts *Palétuviers*
Où allait l'âpre chant des Rudes Piroguiers ;
Ils m'ont dit que le Vent, messager infidèle,
Le déposait très loin, au sommet des palmiers ;
Mais que tous les palmiers ont les cheveux rebelles
Et doivent tout le temps peigner leurs beaux *cimiers.*

J'ai demandé souvent
Écoutant la Clameur
D'où venait l'âpre chant,
Le doux chant des Rameurs.

Un soir, j'ai demandé aux complaisants Roseaux
Où allait l'âpre chant, le doux chant des Bozos.
Ils m'ont dit que le Vent, messager infidèle,
Le confiait là-haut, à un petit oiseau ;
Mais que l'Oiseau, fuyant dans un furtif coup d'ailes,
L'oubliait quelquefois dans le ciel indigo.

Et depuis, je comprends
Écoutant la Clameur
D'où venait l'âpre chant,
Le doux chant des Rameurs.

Leurres et lueurs, Présence Africaine, Paris, 1960.

Les mots

palétuviers : arbres à racines aériennes qui poussent dans les mangroves tropicales, c'est-à-dire les endroits chauds et très humides, boueux.

cimier : ornement qui forme la partie supérieure d'un casque, se dit de la coiffure haute et lisse des femmes songhaï...

Le texte

1. A quoi sont comparés les palmiers? Qu'est-ce qui justifie cette image selon vous?

2. Le Vent, l'Oiseau sont-ils des messagers sérieux?

Désert

« Dieu seul est Dieu, Mohammed rassoul Allah ! »
La voix du Muezzin bondit sur les *dômes*,
S'enfle, s'étend, puis s'éteint au loin là-bas...
Lentement se courbent les corps de nos hommes...
Rythme le morne chœur assourdi et las,
Et les pointes noires des cases en chaume
Frangent l'horizon que nous n'atteindrons pas.

Sur le désert et dans l'infini des âges
Titubant ainsi dans le sable sans fin
Aborderons-nous à de lointains rivages ?

Irons-nous ainsi chaque jour vers demain ?
Vers des haltes lointaines, de lointains *havres*
Où nos rêves ne seront que des cadavres ?

Leurres et lueurs, Présence Africaine, Paris, 1960.

Les mots

dômes : toits arrondis en demi-sphère. Les mosquées sont souvent couvertes ainsi.

havre : petit port bien abrité.

Le texte

1. Qu'évoque le poète dans la première strophe ?
2. Les 4e et 5e vers constituent des exemples d'inversion poétique. Rétablissez ces phrases dans l'ordre normal. Le verbe *rythmer* n'entraîne-t-il pas d'habitude un complément d'objet direct ? Rétablissez celui qui est sous-entendu ici.
3. La longue marche évoquée dans les deux dernières strophes ne vous paraît-elle pas pénible, décevante ?
4. Quel est le ton général de ce poème, le sentiment qui s'en dégage ?

Kassak

(à Léopold Sédar Senghor)

La terre saigne
Comme saigne un Sein
D'où coule le lait
Couleur du Couchant.
Le Lait est rouge
Du sable sourd du Sang
Le ciel pleure
Comme pleure un Enfant.

Qui donc s'était servi du sinistre *Hoyau ?*

L'Onde se plaint
Au plongeon de la Pagaie
La pirogue geint
A l'étreinte de l'Eau
Hyène s'est piquée
Au passage de la haie
Et corbeau a cassé
Sa plume dans la plaie.

Qui donc s'était servi du sinistre Hoyau ?

Le Berger a blessé
Par la pointe de la Sagaie
L'échine souple
Du Frère de la Savane
Et plus rien n'est resté
De tout son beau troupeau
Ni Taures, ni *génisses*,
Ni les jeunes veaux.

Qui donc s'était servi du sinistre Hoyau ?

Leurres et lueurs, Présence Africaine, 1960

Les mots

hoyau : sorte de houe, d'instrument qui sert à creuser la terre.

génisses : taurillons et jeunes vaches n'ayant pas encore vêlé.

Le texte

1. Pourquoi la même question revient-elle toujours en leitmotiv comme un refrain ?
2. Pourquoi cette houe est-elle qualifiée de sinistre ? Quelle série de malheurs son usage a-t-il entraîné ?
3. Quelle sorte de croyance le poète évoque-t-il ici ? Cette forme de croyance est-elle caractéristique de l'Afrique ancienne ? Connaissez-vous des objets qui ont une réputation soit bénéfique, soit maléfique ?

Abandon (1)

Dans le bois obscurci
Les trompes hurlent, hurlent sans merci
Sur les tam-tams maudits,
Nuit noire, nuit noire !

Les torches qu'on allume
Jettent dans l'air
Des lueurs sans éclat, sans éclair,
Les torches fument.
Nuit noire, nuit noire !

Des souffles
Rôdent et gémissent
Murmurant des mots désappris
Des mots qui frémissent.
Nuit noire, nuit noire !

Du corps refroidi des poulets
Ni du chaud cadavre qui bouge
Nulle goutte n'a plus coulé
Ni de sang noir, ni de sang rouge,
Nuit noire, nuit noire !
Les trompes hurlent, hurlent sans merci
Sur les tam-tams maudits,
Nuit noire, nuit noire!

Le texte

1. Quel sentiment veut nous communiquer le poète au long de ces quatre strophes ?
2. Y parvient-il ? Par quels moyens ?
3. Par quel adjectif synonyme remplaceriez-vous *désappris* (des mots désappris) ?

Abandon (2)

Peureux le ruisseau orphelin
Pleure et réclame
Le peuple de ses bords éteints
Errant sans fin, errant en vain,
Nuit noire, nuit noire !

Et dans la savane sans âme
Désertée par le souffle des anciens
Les trompes hurlent, hurlent sans merci
Sur les tam-tams maudits,
Nuit noire, nuit noire !

Les arbres inquiets
De la sève qui se fige
Dans leurs feuilles et dans leur tige
Ne peuvent plus prier
Les aïeux qui hantaient leurs pieds,
Nuit noire, nuit noire !

Dans la case où la peur repasse
Dans l'air où la torche s'éteint
Sur le fleuve orphelin
Dans la forêt sans âme et lasse
Sur les arbres inquiets et déteints
Dans les bois obscurcis,
Les trompes hurlent, hurlent sans merci
Sur les tam-tams maudits,
Nuit noire, nuit noire !

Leurres et lueurs, Présence Africaine, 1960.

Le texte

1. Quelle est la cause de cette peur?
2. Quelles en sont les conséquences?

Souffles (1)

Écoute plus souvent
Les choses que les êtres.
La voix du feu s'entend,
Entends la voix de l'eau.
Écoute dans le vent
Le buisson en sanglots :
C'est le souffle des ancêtres.

Ceux qui sont morts ne sont jamais partis :
Ils sont dans l'ombre qui s'éclaire
Et dans l'ombre qui s'épaissit.
Les morts ne sont pas sous la terre :
Ils sont dans l'arbre qui frémit,
Ils sont dans le bois qui gémit.
Ils sont dans l'eau qui coule,
Ils sont dans l'eau qui dort,
Ils sont dans la case, ils sont dans la foule :
Les morts ne sont pas morts.

Le texte

1. Quelle est la croyance fondamentale qui s'exprime ici ?
2. Savez-vous comment on appelle ce genre de croyance et pourquoi ?
3. Que faut-il être pour la partager ou, tout au moins, pour la comprendre ?

Souffles (2)

C'est le souffle des ancêtres,
Le souffle des ancêtres morts,
Qui ne sont pas partis,
Qui ne sont pas sous terre,
Qui ne sont pas morts.

Ceux qui sont morts ne sont jamais partis :
Ils sont dans le sein de la femme,
Ils sont dans l'enfant qui vagit,
Et dans le tison qui s'enflamme.
Les morts ne sont pas sous la terre :
Ils sont dans le feu qui s'éteint,
Ils sont dans les herbes qui pleurent,
Ils sont dans le rocher qui geint,
Ils sont dans la forêt, ils sont dans la demeure :
Les morts ne sont pas morts.

Écoute plus souvent
Les choses que les êtres.
La voix du feu s'entend,
Entends la voix de l'eau.
Écoute dans le vent
Le buisson en sanglots :
C'est le souffle des ancêtres.

Leurres et lueurs, Présence Africaine, 1960.

Le texte

1. Ce poème vous semble-t-il expliquer l'importance du culte des ancêtres en Afrique?
2. Birago Diop mérite-t-il d'être appelé *le poète de l'Afrique traditionnelle?*

LÉOPOLD SÉDAR SENGHOR

(né en 1906) SÉNÉGAL

Fils du pays sérère, né à Joal en 1906, d'une famille nombreuse et prospère d'éleveurs riches commerçants, Senghor fut entièrement élevé par les religieux européens au petit séminaire, puis au collège Libermann de Dakar, avant d'être envoyé comme boursier au Lycée Louis-le-Grand à Paris, où il fut condisciple et ami de Georges Pompidou, l'actuel Président de la République Française.

Licencié ès Lettres, professeur de lycée en France, il fut, en 1939, le premier agrégé africain et dans la spécialité : grammaire, éclatant témoignage d'une rare maîtrise de la langue française.

L. S. Senghor fut mobilisé et fait prisonnier en Allemagne ; c'est à son retour de captivité que commencèrent à paraître ses recueils poétiques d'une rare densité, puis en 1948, son Anthologie de la nouvelle poésie nègre et malgache, *avec la célèbre préface de J.-P. Sartre,* « Orphée noir », *qui allait révéler cette poésie au public de langue française, et, en créant un grand mouvement d'enthousiasme, susciter de nombreuses vocations poétiques chez les jeunes Africains.*

Sa période de réaction anti-européenne, où il secouait superbement « la poussière de la civilisation », coïncida justement avec le début du Mouvement de la Négritude dans les années 1934 à 1940, et c'est alors que son influence sur ce mouvement fut la plus forte.

Par sa connaissance intime, enthousiaste du pays, de sa langue maternelle, de ses traditions, « il contribua fortement à réorienter les intellectuels nègres sur l'Afrique, à proposer comme remède au mal de l'assimilation, dont souffraient en particulier si profondément les Antillais, le réenracinement dans le patrimoine africain.

Aussi se mit-il très tôt, en France, à l'étude des ethnologues européens : Frobenius, Delafosse, Paul Rivet (le fondateur du Musée de l'Homme à Paris), le Gouverneur Delavignette, Michel Leiris, Marcel Griaule (l'initiateur des recherches sur les Dogons), pour rassembler les éléments d'une étude approfondie de la civilisation africaine à laquelle il ne cesse de travailler, malgré ses responsabilités politiques » (Lilyan Kesteloot).

Nous n'insisterons pas, dans ce recueil voué à la poésie, sur la carrière politique bien connue de Senghor, qui a fait de ce militant de la Négritude un député, puis un ministre de la République Française, et, depuis l'Indépendance, le Président de la République du Sénégal.

Passé la phase dialectique d'opposition et d'exaltation de la Négritude, l'essence de la personnalité de Senghor et de son œuvre, tant littéraire que politique, réside dans « le métissage culturel », la recherche passionnée de l'Unité dans une synthèse souple et humaniste.

L'œuvre incontestablement est métisse (tout comme celle de Césaire d'ailleurs) : si l'influence de Claudel, de Saint-John Perse est facilement décelable dans le verset senghorien, les thèmes sont essentiellement africains : le lyrisme personnel se dépasse et s'accomplit dans le sentiment d'une communion des êtres et des choses dans un monde où tout est animé d'une même vie, où les générations présentes et futures sont en continuité quasi mystique avec les ancêtres défunts.

Le poème se coule dans le rythme et la mélodie de la parole, ou mieux, du chant : Senghor renoue avec la vraie tradition de la poésie africaine orale et toujours liée à la musique.

La générosité nègre, l'amour : symbole de la force qui attire tous les êtres les uns vers les autres, sont la base de l'inspiration.

La douceur du « royaume d'enfance », évoqué avec prédilection, est la préfiguration d'un âge d'or à venir. Cet âge d'or verra l'accession des hommes à la « civilisation de l'universel », où chaque race contribuera à la richesse du patrimoine humain selon son génie propre, où, par exemple, les Noirs feront équilibre, par leur sens de la vie, aux inventions mécaniques des Blancs (cf. le poème : A New York*).*

Le poète qui prépare l'avènement de cet idéal en traduisant la vie mystérieuse du monde par les images et par le rythme, qui dévoile aux autres hommes cette vérité ultime et cachée, réunit en lui les fonctions du voyant et de l'homme d'action.

Principales œuvres :

Poèmes : *Chants d'ombre*, 1945. *Hosties Noires*, 1948. *Éthiopiques*, 1956. *Nocturnes*, 1961. *Poèmes divers*, 1964 (255 p.). Éditions du Seuil.
Nation et Voie africaine du socialisme, Présence Africaine, Paris, 1961.
Pierre Teilhard de Chardin et la politique africaine, Seuil, 1962.
Liberté I : négritude et humanisme, Seuil, 1964.
Les Fondements de l'Africanité ou Négritude et Arabité, Présence Africaine, 1967.

L'ouragan

L'ouragan arrache tout autour de moi
Et l'ouragan arrache en moi feuilles et paroles inutiles.
Des tourbillons de passion sifflent en silence.
Mais paix sur la tornade sèche, sur la fuite de l'hivernage !

Toi, vent ardent, Vent pur, Vent-de-belle-saison, brûle toute fleur, toute
pensée vaine,
Quand retombe le sable sur les dunes du cœur.
Servante, suspends ton geste de statue, et vous enfants, vos jeux et vos
rires d'ivoire.
Toi, qu'elle consume ta voix avec ton corps, qu'elle sèche le parfum de
ta chair
La flamme qui illumine ma nuit comme une colonne, comme une palme.
Embrase mes lèvres de sang, Esprit, souffle sur les cordes de ma kôra,
Que s'élève mon chant, aussi pur que l'or de Galam.

Chants d'ombre, le Seuil, Paris, 1956.

Le texte

1. Le poète ne souhaite-t-il pas que le vent de tornade accomplisse en lui et en ceux qui l'entourent (servante, enfants, femme aimée) la même œuvre que dans la nature? Laquelle?
2. Dans quel but le poète souhaite-t-il cette purification?
3. Selon vous, la poésie doit-elle être comme l'or que l'on éprouve au feu pour en ôter toutes les scories?
   Serait-ce par là que la poésie se distingue de la prose?

Femme noire

Femme nue, femme noire
Vêtue de ta couleur qui est vie, de ta forme qui est beauté !
J'ai grandi à ton ombre, la douceur de tes mains bandait mes yeux.
Et voilà qu'au cœur de l'été et de midi, je te découvre, terre promise, du haut d'un haut col calciné
Et ta beauté me foudroie en plein cœur comme l'éclair d'un aigle.

Femme nue, femme obscure !
Fruit mûr de la chair ferme, sombres extases du vin noir, bouche qui fais lyrique ma bouche
Savane aux horizons purs, savane qui frémis aux caresses ferventes du vent d'Est
Tam-tam sculpté, tam-tam tendu qui grondes sous les doigts du Vainqueur
Ta voix grave de *contralto* est *le chant spirituel de l'Aimée.*

Femme nue, femme obscure !
Huile que ne ride nul souffle, huile calme aux flancs de l'athlète, aux flancs des princes du Mali
Gazelle aux attaches célestes, les perles sont étoiles sur la nuit de ta peau
Délices des jeux de l'esprit, les reflets de l'or rouge sur ta peau qui se moire.
A l'ombre de ta chevelure, s'éclaire mon angoisse aux soleils prochains de tes yeux.

Femme nue, femme noire !
Je chante ta beauté qui passe, forme que je fixe dans l'éternel
Avant que le destin jaloux ne te réduise en cendres pour nourrir les racines de la vie.

Chants d'ombre, le Seuil, 1956.

Les mots

contralto : mot italien, de genre masculin : désigne la plus grave, la plus chaude des voix de femme.

le chant spirituel de l'Aimée : allusion probable au Cantique des Cantiques : hymne d'amour qui figure dans la Bible.

Le texte

1. Dans le premier verset, que représente pour Senghor la femme noire?
2. Dans le deuxième verset, comment expliquez-vous que tous les verbes soient à la deuxième personne du singulier et non à la troisième?
3. Dans le troisième verset, relevez et commentez quelques-unes des comparaisons que le poète applique à la femme noire.
4. Le quatrième verset n'évoque-t-il pas dans votre esprit d'autres poèmes consacrés à la beauté passagère des femmes?

N.B. On pourrait avantageusement lire alors quelques sonnets de Ronsard : *A Cassandre, à Hélène, à Marie...*

Tout le long du jour...

Tout le long du jour, sur les longs rails étroits /
Volonté inflexible sur la langueur des sables /
A travers Cayor et Baol de sécheresse / où se tordent les bras /
Les baobabs d'angoisse /

Tout le long du jour, tout le long de la ligne /
Par les petites gares uniformes, jacassantes petites négresses
A la sortie de l'École et de la volière /
Tout le long du jour, durement secoué sur les bancs du train de ferraille
et *poussif et poussiéreux*
Me voici cherchant l'oubli de l'Europe au cœur pastoral du Sine.

Chants d'ombre, le Seuil, 1956.

Les mots

à travers Cayor et Baol... les baobabs d'angoisse : inversion poétique. En prose l'on écrirait : à travers la sécheresse du Cayor et du Baol (régions du Sénégal) où les baobabs d'angoisse se tordent les bras.

poussif et poussiéreux : il s'agit toujours du train.

Le texte

1. Quelles images surgissent dans l'esprit du poète à la vue des longs rails étroits, puis des baobabs?
2. Par quel procédé le poète nous fait-il sentir l'avancée monotone et implacable du train?
3. A quoi compare-t-il les petites gares toutes semblables?
4. Que cherche le poète dans ce voyage à travers son Sénégal natal?

Le totem

Il me faut le cacher au plus intime de mes veines
L'Ancêtre à la peau d'orage sillonnée d'éclairs et de foudre
Mon animal gardien, il me faut le cacher
Que je ne rompe le barrage des scandales.
Il est mon sang fidèle qui requiert fidélité
Protégeant mon orgueil nu contre
Moi-même et la superbe des races heureuses...

Chants d'ombre, le Seuil, 1956.

Sens général

Ce court et dense poème exprime l'attachement de l'Africain, même évolué, à la croyance ancestrale.

S'il cache soigneusement cette croyance par peur d'un double scandale : celui des Africains de la tradition pour qui le totem est tabou, celui des Blancs qui méprisent ces superstitions *(la superbe des races heureuses),* il sait qu'elle requiert fidélité, le respect de la tradition et les valeurs africaines étant le plus sûr rempart contre le déracinement et la dépersonnalisation.

Nuit de Sine

Lecture suivie et dirigée.

Femme, pose sur mon front tes mains *balsamiques*, tes mains douces plus que fourrure.
Là-haut les palmes balancées qui bruissent dans la haute brise nocturne
A peine. Pas même la chanson de nourrice.
Qu'il nous berce, le silence rythmé.
Écoutons son chant, écoutons battre notre sang sombre,
Écoutons battre le pouls profond de l'Afrique dans la brume des villages perdus.

Voici que décline la lune lasse vers son lit de mer étale /
Voici que s'assoupissent les éclats de rire, que les conteurs eux-mêmes
Dodelinent de la tête comme l'enfant sur le dos de sa mère /
Voici que les pieds des danseurs s'alourdissent, que s'alourdit la langue des chœurs alternés.

C'est l'heure des étoiles et de la nuit qui songe et
S'accoude à cette colline de nuages, drapée dans son long pagne de lait.
Les toits des cases luisent tendrement. Que disent-ils, si confidentiels, aux étoiles ?
Dedans, le foyer s'éteint dans l'intimité d'odeurs âcres et douces.

Femme, allume la lampe au beurre clair, que causent autour les ancêtres comme les parents, les enfants au lit.
Écoutons la voix des anciens d'*Élissa*. Comme nous exilés
Ils n'ont pas voulu mourir, que se perdît par les sables leur *torrent séminal*.
Que j'écoute, dans la case enfumée que visite un reflet d'âmes propices
Ma tête sur ton sein chaud comme un *dang* au sortir du feu et fumant
Que je respire l'odeur de nos Morts, que je recueille et redise leur voix vivante, que j'apprenne à
Vivre avant de descendre, au-delà du plongeur, dans les hautes profondeurs du sommeil.

Chants d'ombre, le Seuil, Paris, 1956

Les mots

balsamiques : qui ont les propriétés apaisantes du baume extrait des bourgeons de balsamier ou baumier (arbre aux feuilles doucement parfumées).
Élissa : ville de Haute-Guinée d'où les Malinké sont partis pour venir s'installer au Sénégal.
torrent séminal : la semence abondante et impétueuse de leur race.
dang : boulette de couscous.

Le texte

1. Relevez quelques-unes des images qui illustrent la douceur, la paix de cette nuit.
2. Montrez en quoi la tradition africaine des veillées est bien évoquée ici.

Le Royaume d'enfance (*pour khalam*[1])

Lecture suivie et dirigée.

Je ne sais en quel temps c'était, je confonds toujours l'enfance et l'*Éden*
Comme je mêle la Mort et la Vie - un pont de douceur les relie.
Or je revenais de *Fa'Oye* m'étant abreuvé à la tombe solennelle
Comme les lamantins s'abreuvent à la fontaine de Simal.
Or je revenais de Fa'Oye, et l'horreur était au zénith
Et c'est l'heure où l'on voit les Esprits, quand la lumière est transparente.
Et il fallait s'écarter des sentiers, pour éviter leur main fraternelle et
mortelle.
L'âme d'un village battait à l'horizon. Était-ce des vivants ou des morts ?
« Puisse mon poème de paix être l'eau calme sur tes pieds et ton visage
Et que l'ombre de notre cour soit fraîche à ton cœur », me dit-elle.
Ses mains polies me revêtirent d'un pagne de soie et d'estime
Son discours me charma de tout mets délectable
- douceur du lait de la mi-nuit -
Et son sourire était plus mélodieux que le khalam de son *dyâli*
L'étoile du matin vint s'asseoir parmi nous, et nous pleurâmes
délicieusement.
- Ma sœur exquise, garde donc ces grains d'or,
Qu'ils chantent l'éclat sombre de ta gorge.
Ils étaient pour ma fiancée belle, et je n'avais pas de fiancée.
- Mon frère élu, dis-moi ton nom. Il doit résonner haut comme un *sorong*
Rutiler comme le sabre au soleil. Oh ! chante seulement ton nom.
Mon cœur est un coffret de bois précieux, ma tête un vieux parchemin
de *Djenné*.
Chante seulement ton lignage, que ma mémoire te réponde.
Je ne sais en quel temps c'était, je confonds présent et passé.
Comme je mêle la Mort et la Vie - un pont de douceur les relie.

Éthiopiques, le Seuil, 1956.

1. ***khalam :*** sorte de guitare à quatre cordes.

Les mots

Eden : Paradis représenté comme un jardin.
Fa'Oye : lieu de pèlerinage.
dyâli : griot.
sorong : sorte de harpe (mot peul).

Djenné : ville de l'Empire du Mali, réputée au Moyen Age, ainsi que Tombouctou, pour ses lettrés musulmans qui écrivaient sur *parchemin*, c'est-à-dire sur des peaux de mouton séchées.

Sens général

Le poète évoque un souvenir de jeunesse. Au retour d'un pèlerinage à un saint tombeau musulman, après une longue marche en brousse dans la chaleur torride et la peur superstitieuse des Esprits, il a trouvé, à l'étape du soir, un merveilleux accueil : la traditionnelle hospitalité africaine rehaussée du charme d'une jeune fille de bonne éducation, à la conversation agréable. Ému, il lui offrira un collier d'or.

Le temps s'abolit : enfance et paradis, présent et passé, Mort et Vie s'allient dans une ineffable et religieuse douceur qu'évoque *l'antienne* (verset répété avant et après un psaume ou hymne religieux).

Congo (fragments)

Woï[1] pour trois kôras et un balafong.

Oho ! Congo oho ! Pour rythmer ton nom grand sur les eaux, sur les fleuves, sur toute mémoire
Que j'émeuve la voix des kôras Koyaté ! L'encre du scribe est sans mémoire.

Oho ! Congo couchée dans ton lit de forêts, reine sur l'Afrique domptée
Que les *phallus* des monts portent haut ton pavillon
Car tu es femme par ma tête, par ma langue, car tu es femme par mon ventre
Mère de toutes choses qui ont narines, des crocodiles, des hippopotames
Lamantins, iguanes, poissons, oiseaux, mère des crues, nourrice des moissons.

Toi calme Déesse au sourire *étale* sur l'élan vertigineux de ton sang...
Délivre-moi de la nuit de mon sang, car guette le silence des forêts.

Mais la pirogue renaîtra par les nénuphars de l'écume
Surnagera la douceur des bambous au matin transparent du monde.

Éthiopiques, le Seuil, 1956.

1. **Woï :** poème chanté avec kôras et balafong. Une fois de plus, Senghor insiste sur son besoin de rythme, de musique, l'écriture seule étant impuissante à traduire les émotions, les souvenirs : *L'encre du scribe est sans mémoire.*

Les mots

phallus : sexe masculin.
étale : qui demeure immobile.

Le texte

1. A quoi le poète compare-t-il successivement le grand fleuve?
2. Pourquoi?
3. Que demande-t-il au fleuve?
4. Le Congo est-il capable de calmer son inquiétude, sa peur?

A New York

(pour orchestre de jazz : solo de trompette)

New York ! je dis New York, laisse affluer le sang noir dans ton sang
Qu'il dérouille tes articulations d'acier, comme une huile de vie,
Qu'il donne à tes ponts la courbe des croupes et la souplesse des lianes.
Voici revenir les temps très anciens, l'unité retrouvée /
La réconciliation du Lion, du Taureau et de l'Arbre[1] /
L'idée liée à l'acte / l'oreille au cœur / le signe au sens[2]
Voilà tes fleuves bruissants de caïmans *musqués*
et de *lamantins aux yeux de mirages.*
Et nul besoin d'inventer les *Sirènes.*

. . . .

Mais il suffit d'ouvrir les yeux à *l'arc-en-ciel d'Avril*
Et les oreilles, surtout les oreilles / à Dieu qui *d'un rire de saxophone* créa
le ciel et la terre en six jours.
Et le septième jour, il dormit *du grand sommeil nègre*[...]

Fragments du poème, *Éthiopiques*, le Seuil, 1956.

1. Allusion à la situation au paradis terrestre - telle qu'elle est décrite dans la Bible - avant que la faute d'Ève et d'Adam n'amène Dieu à les en chasser, les condamnant au travail, à la souffrance et à la mort, avec leurs séquelles de désunion, de lutte pour la vie, de jalousie, de mensonge, de haine.

2. Normalement les idées, les paroles et les actes devraient être en parfaite concordance. Malheureusement il n'en est pas toujours ainsi et trop souvent, les actes contredisent les belles paroles et les idées nobles et généreuses. Ainsi la Constitution américaine est démocratique, mais est-elle appliquée quand il s'agit de la minorité noire?

Les mots

musqués : dégageant un parfum de musc, substance odoriférante dégagée par certains animaux, très utilisée en parfumerie.
lamantins aux yeux de mirages : les lamantins sont réputés avoir des yeux étranges, clairs comme l'eau et l'on peut se demander s'il ne s'agit pas d'une illusion d'optique.
Sirènes : monstres fabuleux de la mythologie grecque à buste de femme et à queue de poisson. Selon la légende, les Sirènes habitaient des rochers escarpés et, par la douceur de leurs chants, attiraient les navigateurs sur ces écueils où ils trouvaient la mort.
Pas besoin d'inventer les Sirènes puisque les lamantins leur ressemblent avec leurs mamelles. Ces animaux aquatiques sont en effet des mammifères qui allaitent leurs petits.
l'arc-en-ciel d'Avril : au printemps, où les pluies sont fréquentes, apparaît souvent l'arc-en-ciel qui, selon la Bible, est le signe d'alliance, de réconciliation que Dieu montra à Noé après le Déluge.
d'un rire de saxophone : le croyant Senghor évoque la création du monde telle qu'elle est racontée dans la Bible et pense que Dieu a créé le monde avec la même joie, la même souveraine liberté qu'un joueur de saxophone fait à volonté rire ou pleurer son instrument.
du grand sommeil nègre : la fameuse insouciance, la fameuse **décontraction** que les blancs reprochent si souvent aux noirs : *ils ne savent que danser et dormir* - et qui manque tant aux grandes villes trépidantes en proie à l'insomnie.

Le texte

1. D'après Senghor, que peut apporter à New York sa minorité noire?
2. Les grandes villes modernes de béton, d'acier, de verre, à l'air et à l'eau pollués, ont-elles besoin de retrouver un aspect plus vivant, plus chaleureux?
3. Senghor croyait-il au moment où il a écrit ce poème à l'intégration des noirs dans la nation américaine? Quel poète négro-américain vous rappelle cette position optimiste?

BERNARD DADIÉ

(né en 1916) COTE-D'IVOIRE

Né à Assinie, région de Grand-Bassam (Côte-d'Ivoire), élevé dans la religion catholique, Bernard Dadié fut admis au Concours d'entrée à l'École Normale William Ponty, alors située dans l'île de Gorée, où étaient rassemblés les meilleurs élèves d'A.O.F. destinés pour la plupart à l'enseignement.

Il en sortit commis d'Administration et fut affecté à l'Institut Français d'Afrique Noire (I.F.A.N.) où il servit onze ans, se passionnant, au contact des chercheurs, pour l'histoire, les traditions, l'art africains.

Pris du « mal du pays » ainsi qu'il le raconte dans son roman autobiographique : Climbié, *il rentra en Côte-d'Ivoire où il fut nommé instituteur et se mit à écrire : poèmes, contes, romans et pièces de théâtre dont il avait pris le goût à W. Ponty.*

Il a créé, à partir de l'École Primaire Supérieure de Bingerville, le Centre d'Art Dramatique de Côte-d'Ivoire. Il est, depuis l'Indépendance, Directeur des Arts et de la Recherche.

Principales œuvres :

Assémien Déhylé, chronique agni, 1936 (jouée au Théâtre des Champs-Élysées à Paris en 1937).
Les Villes, saynète, 1939.
Afrique, debout, poème, Seghers, 1950.
Légendes Africaines, contes, 1953.
Le Pagne noir, contes, Présence Africaine, 1955.
La Ronde des Jours, poèmes, Seghers, 1956.
Climbié, roman, 1956.
Un Nègre à Paris, roman, Présence Africaine, 1959.

Femmes

Femmes du silence et du murmure,
　　Femmes de larmes et de lutte,
Femmes du refus / de la colère /
　　De l'orage et de la foudre,
Femmes de l'accalmie et du sourire,
Femmes de l'abandon et du mensonge,
Femmes du rire, de la caresse
　　Et des cœurs accordés,
Femmes de la séparation et de l'adieu,
　　Je vous aimerai toujours.

La Ronde des Jours, Seghers, Paris, 1956.

Le texte

1. Quand parle-t-on d'une accalmie ? Le choix de ce mot est-il judicieux ici ?
2. Le poète n'aime-t-il que les femmes aimables ?
3. Pourrait-on titrer ce poème : *Hymne aux femmes ?*

Les lignes de nos mains

Les lignes de nos mains
Ne sont point des parallèles
des chemins en montagne...

Les lignes de nos mains
        ni Jaunes
        ni Noires
        ni Blanches,
Ne sont point des frontières
des fossés entre nos villages
des filins pour lier des faisceaux de rancœurs.

Les lignes de nos mains
sont des lignes de vie,
        de Destin
        de Cœur
        d'Amour,
de douces chaînes
qui nous lient
les uns aux autres
les vivants aux morts.

Les lignes de nos mains
        ni blanches
        ni noires
        ni jaunes,
Les lignes de nos mains
Unissent les bouquets de nos rêves.

La Ronde des Jours, Seghers, 1956.

Le texte

1. Que veut dire le poète par ces images :
ne sont point des parallèles
... des frontières
... des filins pour lier des faisceaux de rancœurs ?
Voyez-vous un point commun entre toutes ces images de la première partie du poème?

2. Dans la deuxième partie, qu'est-ce que le poète oppose à la discrimination raciale?

3. Qu'est-ce qui lie les hommes d'après lui?

4. L'auteur est-il dupe de sa vision optimiste ou bien veut-il apporter délibérément sa contribution à un humanisme universel?

Je vous remercie, mon Dieu

Je vous remercie, mon Dieu, de m'avoir créé noir,
d'avoir fait de moi
la somme de toutes les douleurs
mis sur ma tête
le Monde.
J'ai la livrée du *Centaure*
Et je porte le Monde depuis le premier matin.
Le blanc est une *couleur de circonstance*,
Le noir, la couleur de tous les jours
Et je porte le Monde depuis le premier soir.

Je suis content
de la forme de ma tête
faite pour porter le Monde,
satisfait de la forme de mon nez
qui doit humer tout le vent du monde,
heureux
de la forme de mes jambes
prêtes à courir toutes les étapes du Monde.

Je vous remercie, mon Dieu, de m'avoir créé noir,
d'avoir fait de moi
la somme de toutes les douleurs
Trente-six épées ont transpercé mon cœur.
Trente-six brasiers ont brûlé mon corps,
Et mon sang sur tous les *calvaires* a rougi la neige
Et mon sang à tous les levants a rougi la nature.

Je suis quand même
Content de porter le Monde,
Content de mes bras courts,
de mes bras longs,
de l'épaisseur de mes lèvres.

Je vous remercie, mon Dieu, de m'avoir créé noir,
Le blanc est une couleur de circonstance,
le noir la couleur de tous les jours
Et je porte le Monde depuis l'aube des temps.
Et mon rire / dans la nuit / sur le Monde / crée le jour.
Je vous remercie, mon Dieu, de m'avoir créé noir.

La Ronde des Jours, Seghers, 1956.

←

Les mots

Centaure : être fabuleux des vieilles légendes grecques qui était moitié homme, moitié cheval. Symbole de force.

couleur de circonstance : couleur imposée par les circonstances. C'est le noir qui est la couleur habituelle des hommes d'Afrique noire, le blanc y est accidentel, amené par certaines circonstances historiques.

trente-six épées : chiffre utilisé pour signifier que toutes les souffrances possibles, l'homme noir les a endurées, que pas une seule ne lui a été épargnée.

calvaire : colline où le Christ a été condamné à mourir par le supplice de la Croix. Se dit de tout endroit et de toute situation où l'on souffre une douleur mortelle.

Le texte

1. Pourquoi le noir se considère-t-il comme un centaure? N'a-t-il pas souvent été astreint au portage autrefois?
2. Que fait le poète dans la 2ᵉ strophe? A votre avis, pourquoi éprouve-t-il le besoin de nous faire ce portrait glorieux?
3. Mais de quoi se prévaut-il surtout? A-t-il raison de considérer que la race noire se distingue plus particulièrement par la souffrance endurée?
   Souvenez-vous du poème de Césaire : *Négritude* et relisez-le à cette occasion.
4. Y a-t-il contradiction entre *mes bras courts, mes bras longs* ou bien évoque-t-il en raccourci les deux grands types humains d'Afrique noire : les hommes grands et minces des savanes et les hommes petits et trapus de la forêt?
5. Cette prière d'action de grâces peut-elle être considérée comme un hymne à la négritude? Pourquoi?

KEITA FODÉBA

(né en 1921) GUINÉE

Né à Siguiri (Guinée), il fut admis à l'école William Ponty de Dakar et en sortit instituteur. Il fonda le « Théâtre africain » dont les représentations en Europe vers 1950, puis aux États-Unis, le rendirent célèbre.

Il a publié :

Poèmes Africains, *Seghers, 1950.*
Le Maître d'École, *Seghers, 1952.*
Aube Africaine *(recueil de scénarios et de pièces de ballets), Seghers, 1965.*

Rentré en Guinée lors de l'Indépendance, il occupa de hautes fonctions gouvernementales jusqu'à son arrestation en 1969. Jugé pour complot, il a été condamné à mort en même temps que de nombreuses autres personnalités guinéennes.

Minuit

Minuit : Pour le cœur sensible qui écoute et qui comprend,
tout chante Minuit.

Minuit : C'est la chanson naïve et monotone de la berceuse
qui endort son enfant.

Minuit : C'est le chant mélancolique de l'oiseau dans le
feuillage..., le tonnerre qui gronde dans le lointain.

Minuit : C'est tout ce qui gémit, tout ce qui pleure, car
Minuit est aussi la tragédie du Manding.

Aube Africaine, Seghers, Paris, 1965.

Le texte

1. Qu'évoque Minuit pour un cœur sensible?
2. Pourquoi Minuit rappelle-t-il à Keita Fodéba la tragédie de l'Empire Manding?
3. Ce court poème ne vous semble-t-il pas avoir été composé en vue de ce final?

Chanson du Djoliba

Djoliba ! Djoliba ! Nom combien évocateur !...
Descendu des derniers contreforts du Fouta-Djalon,
tu viens t'associer, généreux et fécond, à la vie du
paysan de Guinée.

C'est toi qui, à travers d'innombrables méandres,
apportes discrètement à chacune de nos plaines un message
de Paix et de prospérité.
Tu t'es prodigué à cette terre de latérite et de grès
pour que vive toute une race.

- Les bergers qui, chaque jour, promènent leurs troupeaux
le long de tes bords verdoyants, te vénèrent tous et dans
leur solitude te chantent sans relâche.

- Juchés sur les miradors de bambou, au milieu de vertes
rizières qui s'étendent à perte de vue, dans les vastes
plaines que tu as fertilisées, les enfants, torse nu et
maniant la fronde, fredonnent tous les matins ta chanson,
la chanson du Djoliba.

- Coule donc, Djoliba, vénérable Niger, suis ton chemin à
travers le monde noir et accomplis ta généreuse mission.

- Tant que tes filets limpides rouleront dans ce pays,
les greniers ne seront jamais vides et chaque soir les chants
fébriles s'élèveront au-dessus des villages pour égayer
le peuple africain.

- Tant que tu vivras et feras vivre nos vastes rizières, tant
que tu fertiliseras nos champs et que fleuriront nos plaines,
nos Anciens, couchés sous l'arbre à palabres, te béniront
toujours.

- Coule et va plus loin que toi-même à travers le monde
entier, étancher la soif des inassouvis, rassasier les
insatiables et apprendre à l'Humanité que le bienfait
désintéressé est le seul qui, absolument, signifie.

Aube Africaine, Seghers, 1965.

CAMARA LAYE

GUINÉE

Fils de forgeron. Études techniques à Conakry et Paris. Ouvrier spécialisé chez Simca et cours au Conservatoire National des Arts et Métiers.

Plusieurs romans : L'Enfant noir, Le Regard du Roi, Dramouss.

A ma mère

Femme noire, femme africaine
ô toi, ma mère, je pense à toi...

O Dâman, ô ma mère, toi qui me portas sur le dos, toi qui
m'allaitas, toi qui gouvernas mes premiers pas, toi qui la
première m'ouvris les yeux aux prodiges de la terre, je pense à toi...

Femme des champs, femme des rivières, femme du grand fleuve,
ô toi, ma mère, je pense à toi...

O toi, Dâman, ô ma mère, toi qui essuyais mes larmes, toi qui
me réjouissais le cœur, toi qui, patiemment, supportais mes
caprices, comme j'aimerais encore être près de toi, être enfant
près de toi !
Femme simple, femme de la résignation, ô toi, ma mère, je pense à toi...

O Dâman, Dâman de la grande famille des forgerons, ma pensée
toujours se tourne vers toi, la tienne à chaque pas m'accompagne,
ô Dâman, ma mère, comme j'aimerais encore être dans ta chaleur,
être enfant près de toi...

Femme noire, femme africaine, ô toi, ma mère, merci ; merci
pour tout ce que tu fis pour moi, ton fils, si loin, si près de toi !

Dédicace du roman *L'Enfant noir*, Plon, Paris, 1953.

DAVID DIOP

(1927-1961) SÉNÉGAL

Né à Bordeaux d'un père sénégalais et d'une mère camerounaise, il fit toutes ses études en France, préparant son diplôme d'études supérieures de Lettres, à Paris, dans la famille de son oncle : Alioune Diop, fondateur de Présence Africaine.

Ses premiers vers parurent dès 1948, dans l'Anthologie de Senghor. En 1958, il fut l'un des premiers à rejoindre la Guinée indépendante où il voyait le foyer de l'Afrique future.

Cet espoir de la jeune poésie africaine n'eut que le temps d'écrire Coups de Pilon *et quelques articles, car il fut victime d'un accident d'avion au large de Dakar.*

Il cède parfois dans ses poèmes à un goût excessif de la violence, mais il sait aussi trouver des accents harmonieux pour exprimer son amour de l'Afrique ou sa foi dans l'avenir.

Afrique

A ma mère

Afrique, mon Afrique
Afrique des fiers guerriers dans les savanes ancestrales
Afrique que chante ma grand-mère
Au bord de son fleuve lointain
Je ne t'ai jamais connue
Mais mon regard est plein de ton sang
Ton beau sang noir à travers les champs répandu /
Le sang de ta sueur
La sueur de ton travail
Le travail de l'esclavage
L'esclavage de tes enfants /
Afrique, dis-moi Afrique,
Est-ce donc toi, ce dos qui se courbe
Et se couche sous le poids de l'humilité
Ce dos tremblant à zébrures rouges
Qui dit oui au fouet sur les routes de midi ?
Alors gravement, une voix me répondit :
Fils impétueux, cet arbre robuste et jeune
Cet arbre là-bas
Splendidement seul au milieu des fleurs blanches et fanées
C'est l'Afrique, ton Afrique qui repousse,
Qui repousse patiemment, obstinément
Et dont les fruits ont peu à peu
L'amère saveur de la liberté.

Coups de Pilon, Présence Africaine, Paris, 1957.

Le texte

1. Le poète a-t-il connu l'Afrique ?
   Que savez-vous de la vie de David Diop ?
2. Quelles images de l'Afrique évoque-t-il dans la première partie du poème et quels sentiments suscitent en lui ces images ?
3. Quelle réponse lui donne l'Afrique ?
   Quels sentiments se manifestent dans la conclusion de ce poème ?

A une danseuse noire

Négresse / ma chaude rumeur d'Afrique /
Ma terre d'énigme et mon fruit de raison
Tu es danse par la joie nue de ton sourire
Par l'offrande de tes seins et tes secrets pouvoirs
Tu es danse par les légendes d'or des nuits nuptiales
Par les temps nouveaux et les rythmes séculaires
Négresse / triomphe multiplié de rêves et d'étoiles /
Maîtresse docile à l'étreinte des koras
Tu es danse par le vertige
Par la magie des reins recommençant le monde
Tu es danse
Et les mythes autour de moi brûlent
/ Autour de moi les perruques du savoir
En grands feux de joie dans le ciel de tes pas /
Tu es danse
Et brûlent les faux dieux sous ta flamme verticale
Tu es le visage de l'initié
Sacrifiant la folie auprès de l'arbre-gardien
Tu es l'idée du Tout et la voix de l'Ancien /
Lancée grave à l'assaut des chimères
Tu es le verbe qui explose
En gerbes miraculeuses sur les côtes de l'oubli.

Coups de Pilon, Présence Africaine, 1957.

Le texte

1. Pourquoi David Diop appelle-t-il l'Afrique sa *terre d'énigme et son fruit de raison?*
2. Vous paraît-il naturel d'évoquer l'Afrique à travers une danseuse? Pourquoi?
3. De quoi le poète veut-il se débarrasser grâce à la danse?

A ma mère

Quand autour de moi surgissent les souvenirs
Souvenirs d'escales anxieuses au bord du gouffre
De mers glacées où se noient les moissons
Quand revivent en moi les jours à la dérive
Les jours en lambeaux à goût de *narcotique*
Où derrière les volets clos
Le mot se fait aristocrate pour enlacer le vide
Alors mère je pense à toi
A tes belles paupières brûlées par les années
A ton sourire sur mes nuits d'hôpital
Ton sourire qui disait les vieilles misères vaincues
O mère mienne et qui est celle de tous
Du nègre qu'on aveugla et qui reçoit les fleurs
Écoute écoute ta voix
Elle est ce cri traversé de violence
Elle est ce chant guidé seul par l'amour.

Coups de Pilon, Présence Africaine, 1957.

Les mots

narcotique : substance qui assoupit, qui engourdit la sensibilité, par exemple : l'opium.

Le texte

1. Montrez que ce poème est un poème d'exil.
2. Le poète n'est-il pas lassé des recherches poétiques qui se passent à Paris dans un petit cercle fermé?
3. Que lui apporte alors le souvenir de sa mère?

TCHICAYA U TAM'SI

(né en 1931) CONGO

De son vrai nom Félix Tchicaya, né à Mpili en 1931, Tchicaya U Tam'si (« petite feuille ») est fils d'un ancien député de l'ex-Moyen-Congo.

Enfant rebelle, il quitte tôt l'école pour apprendre par lui-même, part en France dès l'âge de quinze ans, gagne sa vie en exerçant toutes sortes de petits métiers.

Sa passion : le Congo, un seul et grand Congo dont il crut la réalisation possible et proche sous l'égide de son héros : Patrice Lumumba, aux côtés duquel il alla militer dès l'indépendance du Congo - Léopoldville. La tragédie congolaise frappa Tchicaya en plein cœur.

De cette passion est sortie une œuvre brûlante : six recueils d'une poésie dense, exigeante, publiés de 1955 à 1970, qui le placent dans la lignée de Césaire, son aîné de dix-huit ans, et en font un des plus importants jeunes poètes africains d'expression française.

« Voilà quelque vingt ans que je lis des poèmes de jeunes nègres... que de papiers, que de cris vengeurs, que d'éloquence !... Mais, en 1955, Le Mauvais Sang *de Tchicaya m'avait frappé, m'était entré dans la chair jusqu'au cœur. Il avait le caractère insolite du Message. Et plus encore* Feu de Brousse, *avec ses retournements soudains, ses cris de passion », a écrit L. S. Senghor dans la préface à* Épitomé *qui a reçu le Grand Prix de Poésie du Festival mondial des Arts Nègres de Dakar (1966).*

Depuis 1960, Tchicaya travaille, au Département de l'Éducation à l'U.N.E.S.C.O., au développement de l'enseignement supérieur en Afrique.

Principales œuvres :

Le Mauvais Sang, Caractères, 1955.
Feu de Brousse, Caractères, 1957 (couronné Grand Prix de Littérature de l'A.E.F.).
A Triche-Cœur, P.-J. Oswald, 1960.
Épitomé, P.-J. Oswald, 1962 (Grand Prix de Poésie du Festival mondial des Arts Nègres de Dakar, 1966).
Le Ventre, Présence Africaine, 1964.
Arc Musical, P.-J. Oswald, 1970.

Nous étions gens de nuit (1)

Nous étions gens de nuit
Nous eûmes le destin que nous eûmes
Congénitalement

Et moi
J'oublie d'être nègre pour pardonner
Je ne verrai plus mon sang sur leurs mains :
C'est juré

Le monologue d'une vertèbre
(C'était déjà la mienne, jadis)
Le monologue d'une vertèbre
Ne fait pas délirer la chrétienté
Qui a tort d'être fourbe
La vertèbre / la chrétienté / le *calice* / moi ?

Si la farce continue / à la prochaine mort
Qu'on me brûle mon épine dorsale /
Assez de scandale sur ma vie.
Je ne verrai plus mon sang sur leurs mains
J'oublie d'être nègre pour pardonner cela au monde
C'est dit qu'on me laisse la paix d'être Congolais.

Les mots

congénitalement : qui vient de naissance, héréditaire.
le monologue d'une vertèbre : cet os constitutif de la colonne vertébrale désigne ici le reste d'un squelette qui parle tout seul.
ne fait pas délirer la chrétienté : expression familière qui signifie : ne soulève pas de passion, d'indignation, la chrétienté. La chrétienté, dans sa grande masse, ne s'est pas soulevée contre l'esclavage, fondamentalement contraire pourtant à l'enseignement du Christ.
calice : vase sacré qui contient le vin, symbole du sang que le Christ a versé par amour des hommes, pour les sauver du péché et de la mort éternelle. Le poète se demande qui ment dans tout cela.
si la farce continue : l'oppression voilée sous de beaux principes humanitaires, ou autres, sinistre comédie.
qu'on me brûle mon épine dorsale : pour qu'il ne reste rien de moi, même pas une vertèbre qui rappellerait le passé !

Nous étions gens de nuit (2)

La croix la bannière la négritude en salopette
Qui s'y perd ?
Quant à savoir sur quel chemin j'ai plus de nostalgie
Tout me navre dans ce monologue de vertèbre
A suivre le chemin de *ce long fleuve*
Qui mua ma tristesse en eau lente
....

Ces lignes de ma main sont des *signes avant-coureurs*
Mettez un couteau face à mon sommeil,
Que la trame de l'ancien destin s'y coupe le fil.
Je veux être libre de mon destin.
Je rends la rosée à l'herbe.
Que les lignes de ma main
M'ouvrent tous les chemins de ce long fleuve.
....

J'en oublie d'être nègre pour pardonner
Je ne verrai plus mon sang sur leurs mains ;
Le monde me revaudra ma clémence
Nous étions gens de nuit...
Nous allions témoigner pour l'homme...
Qu'on ne nous jette plus de tessons
A la gorge !
Nous étions gens de nuit
La nuit l'étrange *viatique*.

Épitomé, P.-J. Oswald, 1962.

Les mots

la croix la bannière : expression familière qui signifie qu'on complique les choses, qu'on en fait *toute une histoire* en invoquant de grands principes religieux (symbolisés par la croix) et politiques (la bannière, le drapeau).
ce long fleuve : allusion au Congo et à sa lenteur majestueuse.
signes avant-coureurs : tout ce qui annonce un événement prochain.
viatique : provision de route (nourriture ou argent). Au sens figuré : moyen de parvenir.

Le texte

1. Quelle est l'attitude de Tchicaya à l'égard de la Négritude? Pourquoi?
2. Quelle attitude choisit-il pour sa part?
3. Cette attitude vous paraît-elle sage, généreuse, porteuse d'avenir?

Vos yeux prophétisent une douleur

... J'habitais les palais insonores de l'oubli -
Mon cœur au poing -
Un temps de chien fit battre une porte
- mon corps -
Une porte ouverte au seuil de tous,
C'était le seuil du vent où veillait une femme
Qui rompit un rêve agile aux dépens d'un fétiche.
Depuis il m'a poussé au cœur mille excroissances
Qu'à prix d'or un bourreau marchande à mes fétiches
- tout mon peuple vit de ce commerce-là -
J'habitais les palais insonores de l'oubli.

Vos yeux prophétisent une douleur...

... La mer obéissait déjà aux seuls négriers
/ des nègres s'y laissaient prendre /
Malgré les sortilèges de leurs sourires
On sonnait le tocsin
A coups de pied au ventre
De passantes enceintes :
Il y a un couvre-feu pour faisander leur agonie.

Les feux de brousse surtout donnent de mauvais rêves
Quant à moi
Quel crime commettrais-je ?
Si je violais la lune
Les ressusciterais-je ?
Quelle douleur prophétisent vos yeux ?

....

Ce soir
Quel crime commettrais-je
Si je violais la lune
Dans ce puits d'eau qu'on m'offre
/ C'est dira-t-on *lubie* de poète /

Avec trois cors et cent mille sonnailles
Jouez-moi une berceuse

Certains soirs en moi persiste
Le roux de certains *feux lares*
Quand reviennent les *phalènes*

Et pour les djinns qui *clabaudent*
Le sommeil a mille fanges
Où la nuit suce la terre et la glaise congolaise
Allez prenez ma tête
Contre ce qu'il me reste de nuit sur l'âme.

Épitomé, P.-J. Oswald, 1962.

Les mots

lubie : mot familier qui désigne une fantaisie bizarre, un caprice extravagant.
feux lares : feux allumés en l'honneur des génies protecteurs de la famille.
phalènes : nom donné à certaines espèces de papillons en général nuisibles.
clabauder : crier à tort et à travers contre quelqu'un, cancaner, dénigrer, médire. Les djinns sont présentés ici comme des esprits, des génies bavards et méchants.

Reproches au Christ (1)

Lecture suivie et dirigée.

Je bois à ta gloire mon Dieu
Toi qui m'as fait si triste
Tu m'as donné un peuple qui n'est pas *bouilleur de cru*
Quel vin boirai-je à ton *jubilate*
En cette terre qui n'est terre à vigne
En ce désert tous les buissons sont des cactus
Prendrai-je leurs fleurs de l'an
Pour les flammes du *buisson ardent* de ton désir
Dis-moi en quelle *Égypte* mon peuple a ses fers aux pieds.

Christ je me ris de ta tristesse
O mon doux Christ
Épine pour épine
Nous avons commune *couronne d'épines*
Je me convertirai puisque tu me tentes
Joseph vient à moi
Je tète déjà le sein de la vierge / de ta mère
Je compte plus d'un *judas* sur mes doigts que toi
Mes yeux mentent à mon âme
Où le monde est agneau / ton agneau pascal - Christ

Je valserai au son de ta tristesse lente.

Les mots

bouilleur de cru : distillateur d'eau-de-vie.
jubilate : signifie réjouissez-vous en latin. Allusion au vin et aux chants d'allégresse par lesquels les chrétiens célèbrent leur communion au Christ.
buisson ardent : dans la Bible, Dieu se manifeste dans un buisson qui brûle sans se consumer pour faire connaître sa volonté.
Égypte : le peuple juif, vaincu par Pharaon, souffrit une massive, très longue et douloureuse déportation dont devait enfin le délivrer Moïse.
couronne d'épines : avant d'être crucifié, Jésus subit diverses tortures. Comme il se disait roi des Juifs, par dérision on lui mit sur la tête une couronne d'épines.
Judas : le disciple qui a trahi Jésus. Ce nom propre est devenu nom commun désignant un traître.

Reproches au Christ (2)

Suis-je seulement ton frère
On m'a déjà tué en ton nom
Étais-je coupable de ma mort
J'avais des fleurs d'amour toutes d'ombre aux yeux
Mes mains jouaient les palmes des lataniers au soir
En baisant ta croix le sang rougit ma bouche.

N'étais-je pas ton frère
Je danse à ta tristesse
Je ne prends à témoin et ni père et ni mère
Quant à moi / et pourtant ma douleur vaut la tienne
L'eau de mon fleuve est douce / allez les hirondelles /
Le roc aime la mer qui la bat folle et si lasse

Marche sur ce chemin de mon peuple où je boite
Tu me diras en quelle Égypte geint mon peuple
Mon cœur n'est pas le désert / parle ô Christ parle
Est-ce toi qui mis l'or vif dans mon vin de joie
Te dois-je mes deux sources
Et mon âme et mon cœur...

Reproches au Christ (3)

Tu restes immobile
Le Congo fend sa peine
/ Ah que tu es sale Christ d'être avec les bourgeois /
Christ / Christ de ma *sainte Anne* /
Dis quel vin boirai-je
Pour mentir à mon peuple
Ma joie est trop voyante
Ma tristesse est trop sale
Pour être un feu de brousse

....

Christ je crache à ta joie
Le soleil est noir de nègres qui souffrent
De Juifs morts qui quêtent le levain de leur pain

Que sais-tu de New-Bell
A Durban deux mille femmes
A Pretoria deux mille femmes
A *Kin* aussi deux mille femmes
A Antsirabé deux mille femmes
Que sais-tu de Harlem

Le vin pèse sur mon cœur / je souffre de jouir /
Christ je hais tes chrétiens

Je suis vide d'amour pour aider tous tes lâches
Je crache sur ta joie
D'avoir à droite à gauche
Les femmes des bourgeois
J'ai mal d'avoir bu
Ton temple a des marchands qui vendent ta croix Christ
Je vends ma négritude
Cent sous le quatrain
Et vogue la galère
Pour des Indes soldées
Ah quel continent n'a pas ses faux nègres
J'en ai à vendre
Même Afrique a aussi les siens
Le Congo a ses faux nègres
Si Chrétiens seraient-ils moins *sujets à caution*
O je meurs de ta gloire
Car tu m'as tenté
De m'avoir fait si triste.

Épitomé, P.-J. Oswald, 1962.

Les mots

sainte Anne : mère de la Vierge Marie, a été choisie comme protectrice de la chrétienté du Congo. La belle cathédrale de Brazzaville lui est dédiée.
Kin : Kinshasa - Tchicaya énumère tous les quartiers, toutes les villes où souffrent des noirs.
sujet à caution : sur qui ou sur quoi l'on ne peut compter - suspect. Ici : seraient-ils moins suspects s'ils étaient chrétiens?

Le texte

1. Dégagez les sentiments ambivalents du poète à l'égard du Christ : reproches, insultes, mépris et, en même temps, tendresse, nostalgie. N'est-ce pas à ceux que l'on aime que l'on fait les plus vifs reproches selon l'adage : qui aime bien châtie bien?
2. Tristesse et dérision - tristesse parce que dérision - vous paraissent-elles les sentiments dominants de ce poème?
   Appuyez votre réponse sur les citations les plus convaincantes.

Testament

Et voici la plaine que j'habite
Ma main y est large sur ma porte
Prenez ma part de fruit
Bien que je ne sache de quel arbre ils viennent
Prenez ma part de pleurs
Bien que je sache quel cœur ils minent
Ne tardez pas
Je suis déjà loin de ma source

Ne tardez pas
Je peux être utile
J'ai déjà refait mes ongles
Rasé ma tête
Je suis propre devant la nuit.

Épitomé, P.-J. Oswald, 1962.

Le texte

Relevez dans ce poème tout ce qui justifie ce titre de Testament, c'est-à-dire toutes les allusions à la mort prochaine du poète et aux dons qu'il veut faire à ses héritiers.

N.B. On pourrait rechercher et lire d'autres poèmes testamentaires : Le grand et le petit Testament de Villon, les poèmes de Baudelaire sur la Mort et le Voyage...

Épitaphe

Nous sommes cette union
De sel / d'eau / de terre
De soleil / de chair
Éclaboussant le soleil
Non plus autour des *amers*
Mais parce qu'il y a ce chant
Que perdirent tous les abîmes
Que réinvente une *genèse*
Rose des vents / chairs et temps !

Je prédis une *babel*[1]
En acier inoxydable
Ou de sang croisé
Mêlé à la lie de toute crue !
Après l'homme rouge,
Après l'homme jaune,
Après l'homme noir,
Après l'homme blanc,
Il y a déjà l'*homme de bronze*
Le seul alliage au feu doux
Praticable déjà mais à gué.

Arc Musical, P.-J. Oswald, 1970.

Les mots

1. Allusion à la tour de Babel que, selon la Bible, les fils de Noé voulurent élever jusqu'au ciel. Dieu les punit en diversifiant leurs langues si bien que les frères ne se comprenaient plus.
Ici, une œuvre colossale réalisée par des gens de races et de langues différentes.
épitaphe : inscription sur une tombe.
amer : nom masculin d'origine néerlandaise qui désigne tout objet fixe et très visible (tour, phare, moulin) situé sur la côte et permettant aux navires de repérer leur route.
genèse : naissance, commencement.
homme de bronze : sens figuré : homme fort, indestructible comme l'est le bronze, alliage qui résiste au temps comme l'ont prouvé les trouvailles de statues et d'objets de la plus haute antiquité.

Le texte

1. Tchicaya est-il un homme préoccupé du passé ou de l'avenir?
(Les réponses doivent toujours s'appuyer sur des références au texte.)
2. Quel avenir prévoit-il pour l'homme?
3. Cet avenir n'est-il qu'un espoir pour le poète?
Et à vos yeux, est-il une utopie, un rêve irréalisable?

EMMANUEL EPANYA YONDO

(né en 1930) CAMEROUN

Né en 1930. Premières études à Douala. Inscrit à l'Institut des Hautes Études des Sciences sociales et historiques. Études de Droit. Poète.

Kamerun ! Kamerun ! [1]

Quel est ton nom ?
Qui es-tu ?
Serais-tu
Ce cavalier à la monture de feu
Dont l'ombre victorieuse
Hanta hier
Les flancs des volcans en éruption
Comme un monstre sacré ?
Qui es-tu si ce n'est
Ce grand combattant qui s'ignore
Toi / ce fier guerrier /
Petit-fils de *Priso-Priso*[2]
/ De la lignée des Samory /
Qui luttèrent dent contre dent
Souffle contre souffle
Durant des saisons
Pour arracher l'Afrique maternelle
Au vent d'étincelles du brasier
Et à la caravane des razzieurs.
Combattant au regard rouge de cola
Qui piétine ronces et ossements
Pioche à houe / à coups de daba /
Les décombres nauséabonds des forbans
Pour tendre à l'espoir
L'offrande d'une terre nouvelle.

Kamerun ! Kamerun !, Présence Africaine, Paris, 1961.

1. Orthographe allemande de Cameroun. Le Cameroun a été colonie allemande avant d'être placé en 1910 sous mandat français.
2. Grande famille du Cameroun qui se réclame de la lignée de Samory.

Le texte

1. Le poète, à la recherche du vrai visage de son pays, ne trouve pour le désigner que le nom donné à l'époque de la colonisation allemande. A quelle situation historique cela vous fait-il songer? Existait-il un État rassemblant la portion de territoire et de tribus africaines que les colonisations ont dénommée Kamerun ou Cameroun?
2. Pouvez-vous, sans en connaître la date, situer à quelle époque ce poème a été écrit? Pourquoi?

←

La tortue

Je suis la tortue aux neuf malices
Et quand je me traîne
Sous les troncs d'arbres
Toute la faune
De la forêt natale en émoi
Rit de moi :
Koukoutou-Bouem
Ainsi se traîne la tortue.

Irritée par les rires
De l'agile lièvre olympien
Je le défiais pourtant
Et malgré ses titres de gloire
Pour une course épique
Koukoutou-Bouem
Ainsi se traîne la tortue.

Moi dit le lièvre
Qui ai hanté
Des saisons durant
Toutes les pistes de l'univers
Et dont l'emblème est tissé
Le premier sur tous les podiums
Vais-je me rabaisser
A rencontrer la tortue
Qui se déplace aussi vite qu'une ancre
En acceptant son défi.
Koukoutou-Bouem
Ainsi se traîne la tortue.

Finalement le départ fut donné
Et après une course follement
Menée par le lièvre
On le retrouva écumant
Loin ! Bien loin du but
La tortue avait bien gagné
En se traînant « Koukoutou-Bouem ».
Ah ! Ah ! dit-elle au lièvre :
Avoir de bonnes jambes ne suffit pas
Il faut aussi un rien de cervelle
C'est ce qui t'a trahi
N'oublie pas que rien ne sert de courir
Il faut partir à point
Et la force seule
Ne justifie pas les moyens
Koukoutou-Bouem
Ainsi se traîne la tortue aux neuf malices.

Kamerun ! *Kamerun* !, Présence Africaine, 1961.

Le texte

1. A quelle fable de La Fontaine vous fait penser ce texte ?
2. Relisez, si possible, la fable : *Le lièvre et la tortue* et faites la comparaison : ressemblances, différences.

MARTIAL SINDA

CONGO

La daba

à Aimé Césaire

Ohyo hé lé lé oh yo !
C'est le cri de la daba
Qui frappe le sol fertile...
Qui frappe sans arrêt le sol noir,
Le sol blanc et inculte.
Daba, c'est la houe inculte.
Daba, c'est la houe pointue.
C'est aussi l'arme inoffensive.

Ohyo hé lé lé oh yo !
C'est toujours le cri de la daba...
Quand la daba souffre,
Quand la daba peine,
Quand la daba crie au secours,
Quand la daba ne peut plus piocher
Quand la daba ne peut plus faire autrement
Elle agace tout le monde.

(...) Ohyo hé lé lé oh yo !
La daba crie car elle a faim.
La daba crie car elle est malheureuse.
La daba a soif : mes amis, donnez-lui à boire
La daba crie car elle souffre
La daba crie car elle n'est pas aiguisée.
Ohyo hé lé lé oh yo !
C'est toujours le cri de la daba.

Premier chant du départ.
Cité par L. HUGHES et Ch. REYGNAULT,
Anthologie Africaine et Malgache, Seghers, 1962.

ABIOSEH NICOL

SIERRA LEONE

Études au Nigéria, puis médecine à Cambridge (Angleterre). Travaille dans son pays à la recherche médicale. Articles, poèmes publiés dans de nombreuses revues britanniques.

Au plus profond des terres

Et je revins
Au long des côtes de Guinée
Tout plein des charmes compliqués
De vos neuves et belles cités
Dakar, Accra et Cotonou,
Lagos, Bathurst et puis Bissau,
Et puis Freetown ou Libreville.
La liberté n'est qu'à l'esprit.

Ils disaient : Va dans les terres
Et vois la véritable Afrique.
D'où que tu viennes
C'est de là que tu viens.
Va dans la jungle - au plus profond
Tu trouveras ton cœur caché
Ton âme ancestrale
Et silencieuse.

Et je partis
Dansant sur mon chemin.

Cité par L. HUGHES et CH. REYGNAULT, *Anthologie Africaine et Malgache,* Seghers, 1962.

Le texte

1. Pourquoi, après avoir énoncé Freetown et Libreville, le poète dit-il : *La liberté n'est qu'à l'esprit?*
2. Connaît-on l'Afrique si l'on s'en tient à ses capitales?
3. Que doit faire l'étudiant qui rentre d'Europe?
4. Le poète est-il heureux de refaire ce « pèlerinage aux sources »?

NOEMIA DA SOUZA

(né en 1927) MOZAMBIQUE

Né au Mozambique en 1927. Collaboration poétique à des journaux et revues de langue portugaise du Mozambique, de l'Angola et du Brésil.

Appel

Qui aura étranglé la voix lasse
de ma sœur dans la brousse?...
Elle ne m'arrive plus chaque matin
fatiguée de la longue marche,
kilomètres et kilomètres avalés
dans le cri éternel : Macala !

Non, elle ne m'arrive plus, mouillée de la bruine,
chargée d'enfants et de résignation...
Et un visage qui se résume à son regard serein !...

Ah, je sais, je sais : la dernière fois, il y avait un éclair d'adieu
dans ses yeux doux,
et sa voix était presque un rauque murmure,
tragique et désespéré...

O Afrique, ma terre-mère, dis-moi :
Qu'est donc devenue ma sœur de la brousse,
Qui n'est plus jamais revenue à la ville
avec ses enfants éternels?...

Cité par L. HUGHES et CH. REYGNAULT, *Anthologie Africaine et Malgache,* Seghers, 1962.

Le texte

1. A votre avis qu'est-il arrivé à cette sœur de la brousse?
2. Ce poème est-il empreint de tristesse? Montrez-le.
3. Le poète ne laisse-t-il pas deviner qu'il voudrait voir changer la condition de la femme de la brousse? N'y a-t-il pas comme un reproche dans son apostrophe à l'Afrique?

Poètes Malgaches

« L'*Anthologie* de Léon Damas avait révélé deux poètes malgaches de valeur : Jean-Joseph Rabéarivélo et Jacques Rabemananjara. Senghor prit l'initiative de les intégrer à la littérature négro-africaine.

Certes on peut discuter longtemps pour savoir si les Malgaches sont ou ne sont pas des Africains, et même des Nègres. Tous les ethnologues sont d'accord pour constater qu'une partie importante de la population de la Grande Ile - *les Hovas*, qui sont aussi les princes traditionnels - est originaire d'Indonésie et que, en particulier, la langue et la culture malgaches sont asiatiques.

Bien sûr, l'autre partie des habitants est composée de Noirs africains. Et un métissage a dû se produire, encore que les aristocrates étaient assez racistes et tenaient à conserver, avec la pureté de leur sang, l'intégrité de leur caste. Ils imposèrent donc à l'ensemble de l'île leur système socio-politique et leur culture, et si encore aujourd'hui on interroge un Malgache sur ce sujet, il tendra à préciser qu'il est malgache, et non pas nègre ni africain.

Et même si le destin politique de l'île est de participer à celui de l'Afrique, cette dernière n'a pas pour autant le droit d' « assimiler » de force un peuple qui se sent et se sait différent culturellement.

Ceci dit, le fait que Senghor ait intégré dans le Mouvement de la Négritude trois poètes malgaches, est tout de même significatif.

En effet, Rabemananjara a réellement collaboré à ce Mouvement. *Présence Africaine* a toujours pu et peut encore toujours compter sur des Malgaches.

Historiquement donc, et en fonction de certains intérêts communs, il y a une participation malgache au mouvement néo-nègre et cette participation ne fera sans doute que s'accroître.

C'est avec ces nuances bien présentes à la pensée, non par esprit de séparatisme, mais par respect pour une société et une culture très particulières, et par souci de bien saisir leurs différences d'avec les cultures africaines, qu'il convient d'aborder la très raffinée, la très gracieuse poésie malgache » (L. KESTELOOT).

JEAN-JOSEPH RABÉARIVÉLO

(1903-1939)

« Né en 1903 à Tananarive, il n'a jamais quitté son pays. Il était né trop tôt, à une époque où un poète de couleur ne pouvait guère espérer ni aide ni considération dans la société coloniale encore dominée tout entière par les préjugés raciaux. Brimé dans ses ambitions littéraires comme dans sa vie professionnelle, Rabéarivélo se suicida à trente-six ans. Ce fait assez extraordinaire ne peut s'expliquer que par la réelle envergure d'un poète qui étouffait moralement, « en exil sur sa terre natale » qu'il a pourtant chantée, en hova comme en français, avec des accents jusqu'ici inégalés par ses successeurs. Se dégageant rapidement de l'influence des parnassiens et des symbolistes français, Rabéarivélo comprenait dès 1934 qu'il n'y avait de solution culturelle au problème du colonisé que dans le retour aux sources traditionnelles. *Il avait trouvé tout seul un chemin parallèle à celui qu'accomplissait le groupe de* l'Étudiant Noir.

Certes il ignorait jusqu'au mot de négritude et ne se souciait pas de l'Afrique; il ne s'agissait pour lui que d'exalter le patrimoine malgache: mais le mouvement était analogue.

Ce n'est pas un hasard s'il projetait d'écrire une version personnelle de la légende d'Antée.

« Il voyait en effet dans le mythe du géant, qui lutte contre les puissances supérieures et recouvre ses forces chaque fois qu'il reprend contact avec le sol, sa propre image, celle du poète qui demande sans cesse à la terre des ancêtres des images et des idées, qu'il transporte dans le ciel de la poésie. » (Léon Damas). »

L. KESTELOOT, *Anthologie négro-africaine*, Marabout-Université, 1967.

Principales œuvres :

La Coupe de cendres, 1924.
Sylves, 1927.
Presque-Songes, chez Henri Vidalie, Tananarive, 1934.
Traduit de la nuit, Éditions de Mirages, Tunis, 1935.
Vieilles chansons du pays d'Imerina, Imprimerie officielle, Tananarive, 1939.

Filao

Filao, filao, frère de ma tristesse,
qui nous viens d'un pays lointain et maritime,
le sol *imérinien* a-t-il pour ta sveltesse
l'élément favorable à ta nature intime?

Tu sembles regretter les danses sur la plage
des filles de la mer, de la brise et du sable,
et tu revis en songe un matin sans orage
glorieux et fier de ta sève intarissable

maintenant que l'exil fait craquer ton écorce,
l'élan de tes rejets défaillants et sans force
ne *dédie* aux oiseaux qu'un reposoir sans ombre

tel mon chant qui serait une œuvre folle et vaine
si, né selon un rythme étranger et son ombre,
il ne vivait du sang qui coule dans mes veines !

Sylves, Tananarive, 1927.

Les mots

filao : arbre aux branches effilées, de la famille des conifères.
imérinien : Imerina ou Imerne : plateau central de Madagascar, au climat salubre, où se trouve Tananarive.
dédier : offrir, consacrer.

Le texte

1. Le filao pousse-t-il naturellement sur les hauts plateaux de Madagascar?
2. Pourquoi J.-J. Rabéarivélo compare-t-il son chant au filao?
3. Son chant vous paraît-il *une œuvre folle et vaine?* De quoi est-il nourri?

Iarive

Salut, terre royale où les aïeux reposent,
Grands tombeaux écroulés sous l'infini du temps :
et vous, côteaux fleuris que des fleuves arrosent
avec leurs ondes d'or aux reflets éclatants !

Salut, village rouge aux tuiles primitives
sur lesquelles, parfois, bondit le beau levant,
vieux murs que, le matin, de leurs chansons plaintives,
les filles de l'Imerne animent en rêvant !

Je vous salue aussi, montagnes éternelles,
immuables témoins de notre âge aboli,
où l'on cherche à savoir ce que cachent en elles
les pierres des anciens au fronton démoli !

Je voudrais divertir mes pensées et mes rêves
parmi vos grands débris et vos charmes mourants,
et jouir près de vous de mes heures de trêve,
O Pays d'Inconnus, de Héros et de Grands !

Au lever du soleil, les pâtres, les bergères
chanteront au-dehors, précédant leurs troupeaux ;
les gammes de leurs chants, naïves et légères,
berceront mollement mon somme et mon repos.

Et, lorsque soufflera la brise matinale
à travers ma fenêtre en bois minces et bleus,
je sortirai humer de la fleur virginale
l'encens doux et naissant et le parfum frileux ;

puis vers d'autres plaisirs s'en iront mes délices,
et je viendrai bientôt, parmi les paysans,
acclamer la moisson et fêter les *prémices*,
en agitant dans l'air nos épis mûrissants.

Sylves, Tananarive, 1927.

Les mots

les pierres des anciens : les tombeaux dont l'ornement d'architecture au-dessus de l'entrée (le fronton) s'est parfois écroulé avec le temps.

prémices : premiers produits de la terre ou du bétail.

Le texte

1. Savez-vous pourquoi le poète salue Madagascar du titre de *terre royale?*
2. Quels sentiments dominants se dégagent à la lecture de ce poème? Relevez les mots qui les expriment.
3. Quelle est la forme de ce poème? Vous paraît-elle classique? Pourquoi?

JACQUES RABEMANANJARA

(né en 1913)

« Né en 1913, Rabemananjara est le poète malgache qui a le plus participé à la revue Présence Africaine. *Ayant passé la guerre à Paris en préparant une licence de lettres, il devint l'ami intime d'Alioune Diop qui a toujours été l'âme même de cette revue. Lorsqu'il revint dans son pays, il fut inculpé dans la rébellion malgache, fut interné pendant plus d'un an, condamné à mort, puis enfin libéré. Il avait eu le temps d'écrire* Antsa, *qui est son meilleur poème avec* Lamba *qui parut un peu plus tard.*

La vigueur et la sincérité de ces poèmes avaient suscité un tel enthousiasme chez les jeunes étudiants de Paris qu'il fut un temps où l'on citait Senghor, Césaire et Rabemananjara comme les trois grands poètes de la Négritude.

Mais ses deux pièces : Les Dieux malgaches *et* Les Boutriers de l'Aurore *ainsi que son dernier recueil :* Antidote, *n'ont hélas pas tenu les promesses d'un talent qui, bien que trop déclamatoire et trop dépendant de Verlaine, de Césaire et d'Éluard, semblait pouvoir s'élever un jour jusqu'aux sommets de l'épopée. » (L. Kesteloot.)*

Jacques Rabemananjara a été ministre du Gouvernement malgache.

Principales œuvres :

Antsa, Présence Africaine, Paris, 1956.
Lamba, Présence Africaine, Paris, 1956.
Les Boutriers de l'Aurore (drame), Présence Africaine, Paris, 1957.

Antsa (1)

Ile !
Ile aux syllabes de flamme,
Jamais ton nom
ne fut plus cher à mon âme !
Ile,
ne fut plus doux à mon cœur !
Ile aux syllabes de flamme,
Madagascar !

Quelle résonance !
Les mots
fondent dans ma bouche :
Le miel des claires saisons
dans le mystère de tes *sylves*,
Madagascar !

....

Qu'importent le hululement des chouettes,
le vol rasant et bas
des hiboux apeurés sous le faîtage
de la maison incendiée ! oh, les renards,
qu'ils lèchent
leur peau puante du sang des poussins,
du sang auréolé des flamants roses !
Nous autres, les *hallucinés* de l'azur,
nous scrutons éperdument tout l'infini de bleu de la nue,
Madagascar !

....

Un mot,
Ile !
rien qu'un mot !
Le mot qui coupe du silence
La corde serrée à ton cou.
Le mot qui rompt les bandelettes
du cadavre *transfiguré !*

Les mots

sylves : forêts.
hallucinés : ceux qui contemplent le ciel jusqu'à éprouver des hallucinations, des visions.
transfiguré : Rabemananjara, de formation chrétienne, fait ici allusion à la résurrection de Lazare rapportée dans l'Évangile : Jésus vint et dit à son ami Lazare enterré depuis trois jours : *Lève-toi*, et le mort se leva, tout enveloppé des bandelettes qui avaient servi à l'inhumer, selon la coutume alors en vigueur au Moyen-Orient (cf. les momies égyptiennes), et il se mit à parler.

Antsa (2)

....

Le mot de l'âge d'or
Le mot sur le déluge.
Le mot qui fait tourner
le globe sur lui-même !
La fureur des combats !
Le cri de la victoire !
L'étendard de la paix !

Un mot, Ile,
et tu frémis !
Un mot, Ile,
et tu bondis
Cavalière océane !

Le mot de nos désirs !
Le mot de notre chaîne !
Le mot de notre deuil !
Il brille
dans les larmes des veuves,
dans les larmes des mères
et des fiers orphelins.
Il germe
avec la fleur des tombes,
avec les insoumis
et l'orgueil des captifs.

Ile de mes Ancêtres,
ce mot, c'est mon salut.
Ce mot, c'est mon message,
Le mot claquant au vent
sur l'extrême *éminence !*
Un mot.
Du milieu du zénith
un *papangue* ivre fonce,
siffle
aux oreilles des quatre espaces :
Liberté ! Liberté ! Liberté ! Liberté !

Antsa, Présence Africaine, Paris.

Les mots

éminence : élévation de terrain, une petite colline.

papangue : oiseau de proie de Madagascar.

Le texte

1. Montrez que le mot *Liberté* est un mot magique. Quels sont ses pouvoirs?
2. Qu'entend le poète par : *quatre espaces?* Comment diriez-vous si vous vouliez vous exprimer de manière plus précise, plus scientifique?
3. Si l'on peut se procurer le poème de Paul Éluard : *Liberté,* il serait bon d'en faire alors la lecture et d'en noter la frappante ressemblance.

⟵

L'Ile Neuve

L'Ile Neuve sur nos épaules,
Nous parcourrons le firmament,
Nous ferons le tour de la terre,
Sept fois le tour de l'Océan,
l'escalade de la planète, parmi la foudre et les éclairs,
L'Ile Neuve sur nos épaules !

L'Ile Rouge sur nos épaules,
Nous danserons dans le soleil.
Nous prendrons toutes les étoiles
dans les mailles de nos filets.
Et nous planterons sur le globe
le drapeau des fraternités,
L'Ile Rouge sur nos épaules.

L'Ile Heureuse sur nos épaules,
Nous attacherons l'Univers.
Nous brûlerons les vieux mensonges
Au pied du mât où flotte au vent
La bannière de nos messages
à la nouvelle humanité,
L'Ile Heureuse sur nos épaules.

Les Boutriers de l'Aurore, Présence Africaine, Paris, 1957

Le texte

1. Pourquoi, à votre avis, le poète désigne-t-il successivement Madagascar par l'Ile Neuve, l'Ile Rouge (songez à la cuirasse latéritique des Hauts Plateaux), l'Ile Heureuse?
2. Montrez que ce poème est un chant d'espoir et un message de fraternité adressé au monde à l'aube de l'indépendance de l'île.

FLAVIEN RANAIVO[1]

(né en 1914)

Appartenant à une famille de la noblesse merina[1] *de la région de Tananarive, Flavien Ranaivo naquit le 13 mai 1914 à Arivonimamo où son père occupait alors les fonctions de gouverneur. Il était le sixième d'une famille de huit enfants. Son père, poète à ses heures et surtout compositeur de musique, mourut alors qu'il n'avait que deux ans et demi.*

Élevé par des femmes en toute liberté dans la nature, il n'entra à l'école qu'à l'âge de huit ans, ayant appris la musique auprès d'un grand frère bien avant d'apprendre à lire. C'est à quatorze ans seulement, à l'entrée au Lycée, qu'il apprit le français.

Après le Lycée, il hésita entre plusieurs orientations, s'engagea durant la guerre dans les forces françaises libres, puis au retour à Madagascar, entra dans l'administration des postes d'où il fut détaché pour s'occuper de la presse de langue malgache et de langue française. Il publie son premier recueil de poèmes, « L'ombre et le vent », *à Tananarive, en 1947.*

A partir de 1950, il fait de longs séjours en France, pour des études supérieures, puis est appelé à de hautes fonctions auprès du Gouvernement français et à l'U.N.E.S.C.O.

En 1959, il regagne son pays où il est nommé Directeur de l'Office du Tourisme, puis Directeur de l'Information.

En 1962 paraît son troisième recueil : Le retour au bercail *et, en 1965, il reçoit le Grand Prix littéraire de Madagascar pour l'ensemble de son œuvre.*

Dans son Anthologie négro-africaine, *Mme Lilyan Kesteloot le présente ainsi :*

« *Voici à notre avis, et c'est le mérite de Senghor que de l'avoir découvert, le plus intéressant poète malgache d'aujourd'hui.*

1. Prononcer Ranaive et merne.

« Il prend la poésie malgache d'expression française au point précis où l'avait laissée Rabéarivélo et lui fait franchir un pas décisif », écrit Senghor.

En effet, toute l'originalité de Ranaivo consiste à s'être vraiment libéré des influences françaises et à s'être mis à l'école des poètes populaires de son pays. Ses poèmes sont des adaptations, parfois même des traductions des « hain-teny » qui sont des chants malgaches d'un style caractéristique : suppression des mots inutiles, inversions, vers très courts et rythmés pour la marche, ton familier qui réunit l'humour, la malice et la sagesse, images exclusivement tirées du pays, utilisation continuelle des proverbes et des symboles parfois si hermétiques (pour qui n'est pas malgache) que ces poèmes deviennent des devinettes.

On a reproché à Ranaivo de ne rien inventer, de copier la poésie populaire. C'est n'avoir pas compris combien il fallait de talent pour arriver à traduire en français le génie d'une langue et d'une culture aussi éloignées de celles de Descartes qu'il est possible de l'être ! »

Principales œuvres :

Recueils de poèmes : *L'ombre et le vent,* Tananarive, 1947 (réédité en 1967).
Mes chansons de toujours, Paris, 1955 (préface de L. S. Senghor).
Le retour au bercail, Tananarive, 1962.
Conte : *La Jalousie ne paie pas,* Revue de Madagascar, 4e trimestre 1952.
Essais : *Les Hain-teny,* Revue de Madagascar, 4e trimestre 1949. *La Littérature malgache,* Présence Africaine, 1956.

Les mots

vêpres imériniennes : les vêpres sont un office religieux catholique qui se célèbre l'après-midi et où l'on chante des psaumes et des hymnes.
Vêpres, vespéral viennent du mot latin : *vespera* qui signifie : soir.
tambaho : mur de terre qui entoure les maisons dans la campagne malgache.
les Douze-Monts-Sacrés : les collines qui entourent Tananarive et qui ont joué un grand rôle dans l'histoire merina.
valiha : instrument de musique malgache fait avec un gros bambou, dont l'écorce soulevée, partagée et tendue sur des chevalets, forme les cordes que l'on touche comme celles de la guitare.

Le texte

1. A quoi tient l'impression de douceur et de mélancolie qui se dégage de ce poème ?
2. A quoi tient sa musicalité ? Peut-on songer à une valse lente ?
3. Les poèmes de Rabéarivélo et de Ranaivo vous paraissent-ils très différents de ceux des poètes africains ? Pourquoi ?

Vêpres imériniennes

L'ombre du vieux *tambaho* s'étire
Démesurément
Et couvre de ses voiles transparents
Le tombeau familial,
Le ciel se déteint,
Morne,
Vaincu par la nuit qui s'avance.
Seul un grillon déchire de son cri
Strident
Le calme vespéral.
Imerne, lasse,
S'endort,
Insouciante,
Bercée par la houle
Des *Douze-Monts-Sacrés*...
Et doux, souffle,
Souffle le vent
- haleine embaumée -,
Emportant vers le couchant
Les dernières mélopées
De mon âme.
De cette brise,
Mon rêve fera des ailes,
Et s'évade, s'évade ma pensée
Dans l'infini moelleux des nues
Inconnues...
Dans l'ombre s'élèvent
Les accords magiques
D'un *valiha* qui s'épanche,
Nostalgique.
Et dansent, dansent les feuilles mortes
Qui tombent, éparses :
J'entends le bruissement de leur valse
Lente...
O nuit
D'Imerne,
Qui pourra sonder l'abîme de tes mystères ?
Imerne, qui m'as vu naître,
J'aime à chanter ma tristesse dans ton sein
Sous le sourire moqueur
De ta lune
Et les regards timides
De tes tremblantes étoiles,
La nuit.

L'ombre et le vent, Tananarive, 1947.

Le zébu

Sans cesse bougent ses lèvres
Mais elles n'enflent ni ne s'usent ;
Ses dents sont deux belles rangées de coraux ;
Ses cornes forment cercle
Qui jamais ne se ferme ;
Ses yeux : deux perles immenses qui brillent dans la nuit ;
Sa bosse est mont d'abondance ;
Sa queue fouette l'air
Mais n'est que chasse-mouches à demi ;
Son corps est coffre bien rempli
Que supportent quatre tiges desséchées.

Le retour au bercail, Imprimerie nationale, Tananarive, 1962.

Le texte

1. Le zébu est-il bien décrit ? Relevez les traits les plus frappants.
2. Cette description est-elle en même temps lyrique, c'est-à-dire laisse-t-elle deviner les sentiments du poète pour le zébu ?
3. Comparez ce poème avec le poème anonyme peul : *Ode au troupeau.* Leur trouvez-vous une certaine parenté ?

Conseils de sagesse

Toute chose a sa raison d'être ;
montagne : refuge des brouillards,
vallée : abri des moustiques,
bras d'eau : repaire des caïmans ;
l'homme, lui, est sanctuaire de la raison.
Vous, jeune homme,
ne soyez pas l'homme-réputé-courageux
et qui a peur de passer la nuit tout seul dans le désert.

Ne soyez pas comme les chats :
friands de poisson, ils détestent la nage.
Le travail est l'ami des vivants.
Travaillez donc, travaillez,
les pauvres sont des charges pour l'humanité.
Seriez-vous beau, mais besogneux :
parlez, on ne vous écoute,
en chemin vous marcherez derrière les autres.
Car l'enfant qui ne veut travailler :
dans un verger, maraudeur ;
dans la ville, quémandeur ;
à la maison, de trop.
Le travail, mes amis,
seul fait l'homme.
Que la femme, toute la journée durant,
au métier s'accroupisse,
que l'homme soit dans les champs du lever au coucher du soleil ;
si procédez ainsi, et que Fortune n'apparaisse,
ne vous désolez point,
le Seigneur-Parfumé vous viendra en aide.

Fragments cités par L. KESTELOOT, *Anthologie négro-africaine*, Marabout-Université, 1967.

Le texte

1. Montrez que ce poème est un véritable petit recueil de sagesse populaire.
2. Une conduite sage aboutit-elle toujours au succès dans la vie?
3. Dans ce cas-là, quelle est l'attitude recommandée?

Regrets

Six routes
partent du pied de l'arbre-voyageur :
la première conduit au village-de-l'oubli,
la seconde est un cul-de-sac,
la troisième n'est pas la bonne,
la quatrième a vu passer la chère-aimée
mais n'a pas gardé la trace de ses pas,
la cinquième
est pour celui-que-mord-le-regret,
et la dernière...
je ne sais si praticable.

MONODIES, L'ombre et le vent, Tananarive, 1947.

Les mots

je ne sais si praticable : je ne sais si la dernière route est praticable : raccourci saisissant pour témoigner de l'incertitude et de la méfiance de l'homme voyageur devant les chemins de la vie !

Le texte

1. Peut-on dire que le poète condense en ces quelques lignes sa philosophie de la vie? Est-elle optimiste ou pessimiste?
2. Est-ce un art de savoir exprimer sa pensée en peu de mots ou de phrases? Pourquoi?

Post-scriptum

« Ce que tu viens d'apprendre, retiens-le,
toi qui sais que la science par essence
vaut plus que l'ambre et le corail
et plus cher que l'or pur.
Tu as longtemps médité et longuement cherché,
qui s'applique à chercher finit par trouver. »

Kaïdara, Récit initiatique peul rapporté par AMADOU HAMPATÉ BA.

Bibliographie des ouvrages généraux utilisés

JEAN WAGNER, *Les poètes nègres des États-Unis*, Istra, 1963.

L.-G. DAMAS, *Poètes d'expression française*, 1900-1945, Seuil, 1947.

L. S. SENGHOR, *Anthologie de la nouvelle poésie nègre et malgache*, précédée de *Orphée noir* par J.-P. Sartre, Paris, P.U.F., 1948.

LANGSTON HUGHES ET C. REYGNAULT, *Anthologie Africaine et Malgache*, Seghers, 1962.

LILYAN KESTELOOT, *Les Écrivains noirs de langue française: naissance d'une littérature*. Université libre de Bruxelles - Institut de Sociologie (2e édition, avril 1965).

LILYAN KESTELOOT, *Anthologie négro-africaine*, Marabout-Université, 1967.

LILYAN KESTELOOT, *Aimé Césaire*, Seghers (collection Poètes d'aujourd'hui), 1970.

ÉDOUART ÉLIET, *Panorama de la Littérature négro-africaine*, Présence Africaine, 1965.

JOSEPH BOLY, *La voix au cœur multiple*, Éd. de l'École, Paris, 1966.

Table des matières

POÈTES DE LA RENAISSANCE NÈGRE AUX ÉTATS-UNIS

POÈTES HAITIENS

POÈTES ANTILLAIS

POÈTES AFRICAINS

12-100

IMP. TARDY QUERCY AUVERGNE Bourges
Dépôt légal N° 2740 - N° d'Imprimeur 7570 - 1er Trimestre 1974